일러두기

1.
단행본은 겹낫표(『 』)로,
논문과 기사는 홑낫표(「 」)로,
전시, 잡지, 신문, 앨범은
겹화살괄호(《 》)로,
미술, 영화, 노래, 공연,
컴퓨터 프로그램은
홑화살괄호(〈 〉)로 표시했다.

2.
필자 소개와 도판 출처는
책의 마지막에 따로 정리했다.

3.
쪽번호 중 기호들은
"0"을 의미한다.

제로를 위한 디자인 잡담

어라우드랩(김보은, 김소은)

잡담1. 제로

B. 근데 제로가 뭘까?

S. 제로는 0이지. 아무것도 없는 것.

B. 그럼 제로는 생명력이 없는 걸까?

B. 제로는 원래 빈자리를 세기 위해 만들어낸 기호래. 기원전 300년경 바빌로니아 사람들은 계산판의 칸 위에 바둑알처럼 생긴 돌을 놓아가면서 계산을 하고 마지막에 그 돌들의 위치를 옮겨 적었는데, 돌을 올려놓을 때와 달리 옮겨 적을 때는 어디가 빈자리인지 알 수 없었던 거야. 그래서 빈자리를 메우려고 만든 기호가 0의 시작이었대.

S. 원래 아무것도 없었다면 셀 필요가 없을 텐데. 빈자리를 센다는 건, 있었던 것이 없어졌음을 말해주는 것 같네. 없어진 무엇 때문에 의미를 갖는. 그래서 제로는 아무것도 아니면서 아무것인 거지.

B. 제로는 '무엇'인가 비어있다는 특성으로 존재하는 것.

S. 제로를 원해?

B. 응?

S. 없애고 싶은 게 있는지 물어본 거야.

B. 음… 넌 없애고 싶은 게 있어?

S. 범죄, 혐오, 차별. 이런 것들이 사라지길 원하지만, 원한다고 제로가 될 수 있을까?

B. 글쎄, 지금도 많은 사람들이 그런 바람으로 싸우고 있지만 아직도 우리는 너무 많은 혐오와 차별을 일상에서 마주치고 있어. 완전한 제로는 어쩌면 불가능한 건지도 모르겠어.

B. 잠깐만, 움베르트 에코*Umberto Eco*의 말을 적어둔
　게 있어. 하나의 기호는 부재하는 y를 지시하는
　x라고 한다. 그리고 해석자로 하여금 x에서 y로
　유도시키는 과정은 추론적 본질을 갖는다.[1] 그럼
　기호로서 제로가 지시하는 y는 뭘까?
S. 제로는 일반적인 기호랑은 좀 다른 것 같아. y가
　존재하지 않는….
B. 제로가 x라면, x가 지시하는 y는 '빈자리'지.
S. 글쎄. 그럴 수도 있지만 제로 그 자체를 부재로 볼
　수도 있지 않을까. 그래서 지시하는 y가 아니라 그
　자리를 채워줄 z로 유도할 수 있는.

잡담2. 디자인

S. 2015년에 디자인 스튜디오를 시작할 때 앞으로
　우리가 어떤 작업을 하든지 환경을 고려하면
　좋겠다고 나한테 동의를 구했잖아. 왜 그런
　이야기를 했어?
B. 내가 그런 이야기를 했었나? 광고 디자이너로
　일할 때 엄청난 양의 광고 홍보물을 디자인하고
　제작하면서 내가 뭘 위해서, 누구를 위해서
　디자인을 하는 걸까 고민했던 적이 있어.
S. 빅터 파파넥*Victor Papanek*이 『인간을 위한 디자인』에서
　현존하는 직업 중 가장 위선적인 직업이 광고

---

1. 움베르트 에코, 『기호학과 언어철학』, 김성도 옮김,
　열린책들, 2009, 12-14쪽.

디자인일 거라고 했던 게 생각나네.

B. 그때 들었으면 좀 뜨끔했을 말인 것 같다. 아무튼 더 많은 이를 위한 디자인이란 뭘까, 그런 고민을 하면서 환경에 대해 관심을 가지게 됐어.

S. 디자인은 생산과 소비, 두 부분과 떼어놓을 수 없으니까 그런 고민이 이해가 돼. 비약하자면, 디자인의 역할은 물건을 다량으로 복제해서 생산할 수 있도록 하고 대량생산 체계를 유지하기 위해 과잉소비를 부추기는 일일지도 모르겠어.

B. 대량생산을 하게 되면서 저렴하게 물건을 구입할 수 있게 됐으니까 사실 우리도 그 혜택을 누리고 있긴 해.

S. 하지만 어떻게 우리가 저렴한 물건들을 가질 수 있게 됐을까? 그 물건이 저렴해지는 과정에서 보이지 않는 것들, 자연이나 노동, 생명까지 저렴하게 치부한 건 아닐까?[2]

---

2. 『저렴한 것들의 세계사』는 일곱가지의 저렴한 것, 자연, 돈, 노동, 돌봄, 식량, 에너지, 생명을 통해 현대 세계가 어떻게 만들어졌는지 보여준다. 이 책에서 저렴함이란 전략이자 실행이고 모든 일(인간과 동물, 식물, 지질학적인 모든 것)을 가능한 한 적은 보상을 주고 동원하는 폭력이라고 정의하고 있다. 라즈 파텔·제이슨 W. 무어, 『저렴한 것들의 세계사』, 백우진·이경숙 옮김, 북돋음, 2020, 18쪽, 41쪽.

B. 팔구 년 정도 됐나? J가 디자이너로서 지구를 위해 자신이 할 수 있는 일은 아무것도 만들지 않는 것 같다고 말했던 게 생각나. J는 잘 살고 있을까.

S. 사실 난 J의 생각에 동의해. 그렇지만 계속 해보고 싶기도 해. 대학 다닐 때 한 친구가 고민을 털어놓은 적이 있어. 산을 정말 좋아하는데 건축은 산을 깎아내는 일인 것 같다고. 그때 나는 "그래도 산을 좋아하는 네가 건축을 해서 정말 다행이야."라고 말했어. 그 말을 이제 나를 향해 돌려놓고 합리화하는 걸지도 모르겠다.

B. 나는 그런 고민을 하는 디자이너들이 그만두지 않고 여러가지 디자인을 시도하면 좋겠어. 디자인은 생각보다 더 많은 것을 결정할 수 있어. 환경을 고려하는 디자이너들의 시도가 많아지면 사회도 변화할 수 있지 않을까?

S. 맞아. 우리는 그런 시도로 물리적인 문제를 먼저 해결하려고 했지.

B. 응. 우리가 가장 많이 쓰는 재료 중 하나인 종이로 제작을 할 때도 종이가 덜 버려지는 방법을 고민하고, 인쇄할 때는 유해 물질이 적은 잉크를 사용하고, 불필요한 가공을 줄이도록 노력했잖아. 때로는 화려한 후가공이나 다양한 판형을 하고 싶을 때가 있지만, 정말 필요한 부분인지 스스로에게 질문하며 마음을 다잡았어.

S. 여전히 유혹에 흔들리고 지난 선택에 아쉬움을 느끼기도 해. 난 우리가 만들어내는 게 기업에 비하면 그 양이나 규모가 너무나 소박한데,

생각보다 환경에 큰 영향을 주고 있다는 걸 알게 돼서 계속 노력할 수 있는 것 같아. '종이 한 장 차이'는 결코 가볍지 않다고 우리가 자주 말했던 것처럼, 작은 것도 그 영향은 작지 않을 수 있다는 것[3]을 알게 됐어.

....

B. 환경적인 이유로 무엇이 무엇의 대안이 될 수 있을까? 플라스틱 쓰레기가 큰 문제가 되니까 기업에서는 너도나도 플라스틱을 종이로 대체하고 있잖아. 일회용 용기나 상품의 포장 상자들 말야. 그리고 또 다른 한쪽에서는 종이의 사용량을 줄인다면서 고지서나 출판물을 전자고지서나 온라인 출판으로 전환하기도 하고.

3. 이 책 1,000권(초판 1쇄와 2쇄 기준)을 만드는 데 필요한 종이를 생산하기 위해 가정용 냉장고 14.1대의 연간 소비량과 동일한 에너지, 가정용 세탁기 10.8대의 연간 소비량과 동일한 물을 소비했다. 또한 자동차 0.5대의 연간 배출량과 동일한 탄소를 배출했다. 재생펄프만을 사용한 종이이므로 새롭게 나무를 베지는 않았다. 만약 재생종이를 사용하지 않았다면 우리는 18.4그루의 나무를 베고, 가정용 냉장고 23.3대의 연간 에너지 소비량, 가정용 세탁기 11.9대의 연간 물 소비량을 사용하고, 자동차 1.3대의 연간 탄소 배출량과 동일한 탄소를 배출했을 것이다. 여기서 제시된 값은 미국 기준으로, Environmental Paper Network의 Paper Calculator를 통해 얻었다. (environmentalpaper.org)

무엇을 무엇으로 대체한다는 것은 쉬운 선택이야. 하지만 단순히 소재나 매체를 바꾸는 것만으로는 문제를 해결할 수 없어. 종이의 원료는 숲이고, 종이 생산은 많은 에너지를 필요로 해. 그리고 온라인의 데이터 보관을 위한 데이터 센터의 전력 사용으로 어마어마한 탄소가 배출된다고 하잖아.

S. 그렇지만 어떤 소재가 더 나은 선택일까 하는 고민은 유효하지 않아?

B. 당연하지. 하지만 그것만으로는 부족하다는 거야. 1959년에 스웨덴에서 비닐봉지가 발명된 이유가 일회용 종이봉투가 숲을 훼손한다는 거였잖아. 비닐봉지는 종이봉투보다 튼튼해서 여러 번 사용해도 잘 찢어지지 않았으니까. 그런데 우리는 비닐봉지를 일회용으로 사용하게 됐어. 소비의 형태를 바꾸지 않고 소재만 바꾼다고 문제가 해결되지는 않는다는 거지.

S. 오히려 더 큰 문제가 됐네.

B. 요즘 이야기하는 친환경 신소재도 마찬가지 아닐까?

S. 그렇지. 신소재의 경우에는 더 면밀히 살펴볼 필요가 있어. PLA[4]를 처음 알게 되었을 때만 해도 플라스틱으로 인한 환경 피해를 줄일 수 있는 대안이라고 생각했지만 최근에는 폐기를 목적으로 하는 생분해플라스틱[5]이 재활용성이 비교적 용이한 PET나 PP같은 플라스틱보다 더

---

4. Poly Lactic Acid, 생분해플라스틱의 일종.

5. 생분해성 플라스틱과 바이오 기반 플라스틱이 항상 쉽게 분해되는 것은 아니다. 일부는 자외선 또는 상대적으로 높은 온도에 노출되어야 하며, 일부 조건에서는 분해하는 데 여전히 수 년이 걸릴 수 있다. 『플라스틱 이슈리포트』, 녹색연합, 2020, 1-11쪽.

나은 선택일까 하는 의심마저 들어. 환경적 영향의 일부만을 내세워 일회용으로 사용해도 괜찮다고 홍보하는 데 대한 불편함일지도 모르겠어. 플라스틱 쓰레기 문제의 심각성이 희석되는 느낌이랄까.

B. 그래서 소비의 형태를 바꾸는 게 무엇보다 중요해.

S. 전적으로 동의해. 하지만 소재의 선택도 가볍게 여길 순 없어. 비교적 쉽게 선택할 수 있다는 건 빨리 변화할 수 있다는 거잖아.

B. 그건 그래. 넌 소재를 선택하는 기준이 있어?

S. 나름의 기준이 있어. 이미 재활용되었고 재활용이 가능한 소재, 재활용과 분해가 쉬운 소재, 재활용이 쉬운 소재, 분해가 쉬운 소재 순이야.

B. 나는 분해가 쉬운 자연 소재를 재활용이 가능한 소재보다 우선 기준으로 생각해. 우리 안에서도 조금 다른 게 재미있다. 그리고 내가 중요하게 생각하는 건 순환이야. 디자인 결과물이 사망할 때, 그러니까 쓰임을 다하고 죽음을 맞이할 때, 지구에 너무 오래 남아있지 않았으면 좋겠어. 자연적으로 분해되거나 지속해서 재활용될 수 있어야 해. 페트병 몇십 개를 재활용해서 만든 옷이라도 다시 재활용될 수 없다면, 재활용의 순환고리를 끊는 것인데, 그게 더 좋은 선택일지 고민해봐야 한다고 생각해. 그런데 그런 것들을 모두가 하나하나 다 알아보고 선택하는 건 너무 어렵잖아. 사회적으로 합의된 기준은 존재할까?

S. 예전에 건축 일을 했을 때도, 디자이너가 된 지금도

여전히 고민스러운 부분이야. 나는 법과 규정이 최악을 면하기 위한 최소한의 기준이라고 생각해. 건축은 어쩌면 건축법의 수많은 조항들로 이루어진 집합체 같다고 느껴지기까지 했어. 특히 소방이나 장애인 시설 계획을 보면 법이 정해놓은, 딱 그만큼만 하는 식으로 하향 평준화하는 것 같았어.

B. 재생 종이의 기준도 마찬가지인 것 같아. 우리가 〈종이 한 장 차이〉[6]를 만들 때 한 제지사 관계자를 만났잖아. 종이의 고지율[7]을 환경표지 기준[8]에 맞춰 '○○퍼센트 이상'이라고만 공개한다고 했어. 같은 이유인지 몰라도 국내 재생지들은 거의 모두 고지율 30퍼센트를 유지하고 있는 것 같아.

S. 그렇게 표기하는 데는 재생종이는 질이 좋지 않다는 편견도 한몫하는 것 같지만, 특정한 기준을 두고 충족과 불충족으로만 나누는 규정 때문에 그 이상을 해야 할 필요성조차 상실한 상태야.

B. 법에서의 기준이란 항상 최소한이니까 더 다양한 기준이 우리 사회에서 제시돼야 할 것 같아.

---

6. 〈종이 한 장 차이〉는 지구를 존중하는 디자이너와 창작자를 위해 만든 재생종이+비목재 종이 샘플북으로, 2020년 1월 어라운드랩이 텀블벅에서 펀딩하여 진행한 프로젝트다.

7. 재생펄프의 함유율.

8. 국내의 환경표지 기준은 종이의 평량에 따라 다르지만, 보통 고지율 10~30퍼센트이다. (환경부, 2012년 3월 개정), 환경표지인증기준 EL101, EL101-3.

S. 나는 그래서 B가 만들었던 〈환경 영향을 줄이는
　종이제작물의 체크리스트〉[9]의 결과 인포그래픽이
　좋았어. 놓치고 있는 빈자리를 드러내서 더 노력할
　수 있는 부분이 뭔지 보여주잖아. 그리고 난
　창작자나 소비자 스스로가 기준을 정하고 판단할
　수 있도록 환경 정보들을 쉽게 찾아볼 수 있으면
　좋겠어. 우리가 재작년에 친구들과 일상에서 자주
　쓰이는 소재의 환경 정보를 찾고 웹에 공유하는
　'소재 선별장' 프로젝트를 했던 것도 그런 필요
　때문이었지. 정보를 계속 공부하고 업데이트하는
　게 벅차서 사이트를 닫았지만 많이 아쉬웠어. 좀
　더 체계적으로 환경 정보들을 찾아볼 수 있으면
　좋겠어.

B. 2020년에 《제로의 예술》 프로젝트를 처음 만났지.
S. 8월이었는데도 꽤 서늘한 날이었어.
B. 회의를 마치고 집에 가는 길에 우리가 해볼 수 있는
　게 뭘까 신이 나서 대화를 했었잖아. 네가 생각한
　제로는 어떤 거였어?
S. 그때 우리가 한 이야기를 떠올려보면 제로를
　개념적으로 드러내고 표현하기보다는 에코

9.　김보은, 「종이 제작물의 환경 영향을 줄이기
　　위한 디자인 체크리스트 연구」, 국민대학교
　　디자인대학원, 2020.

제로를 아끼는 디자인 질문들

15

폰트^{Ecofont}[10]를 만드는 것처럼 실천적인 방법으로 작업을 해보면 좋겠다고 했었지.

S. 제로는 '줄이는 것'에 가깝다고 생각했으니까. 불필요한 것이 배제된, 화이트 또는 블랙과 같은 간결한 이미지가 떠올랐던 것 같아.

B. 그럼 우리가 《제로의 예술》을 진행하면서 제로에 관한 생각이 좀 바뀌었을까?

S. 그동안 작업 과정에서 쓰레기를 줄이기 위한 개인적인 실천에 집중하는 것이 제로를 향한 방향이었다면, 이 프로젝트에 참여하면서 제로는 '전체를 위해 어떤 것도 소거하지(감추지) 않는 것'이라는 생각이 들었어. 우리 사회가 이미 소거해버린 소수의 존재를 드러내고 인정하기 위한 과정이 필요하다고 말야. 솔직히 더 잘 드러내고 싶다는 욕망도 있었던 것 같고….

B. 지금은 어때?

S. 제로가 드러내고 인정하는 것이라는 생각은 그대로인 것 같아. 드러내는 과정 자체가 제로이자 제로를 위한 디자인이라고 생각해. 그리고 드러냄에는 책임이 따르게 돼. 이 글도 우리에게 책임이 되겠지. 드러냄에는 실천적 방안이 동반될 수밖에 없어.

B. 맞아. 드러냄은 우리에게 그 가치를 잊지 않게 하는

---

10. 에코폰트는 2010년 네덜란드 SPRANQ에서 개발한 폰트이다. 글꼴의 각 글자 안에 작은 구멍을 내어 프린터 잉크의 사용량을 줄일 수 있도록 디자인되었다.

원동력이기도 하지만, 가끔은 버거울 때도 있어. 아무리 고민해도 완전한 제로의 답을 찾을 수는 없으니까.

B. 나는 《제로의 예술》 프로젝트가 시작할 때와 끝난 지금 제로에 대한 이미지가 달라진 것 같아. 정확하게 말로 설명하기는 어려운데, 그 당시 내가 떠올렸던 제로는 선^{line}이었어. 불필요한 요소를 줄이거나, 나와는 관련이 없을 것 같은 사람들 혹은 가치들과의 거리를 줄여나가면서 조금 더 제로라는 지향점에 가까워지는 것으로 생각했는데, 지금은 뭐랄까… 원의 형태를 떠올리게 돼. 완전히 동그란 원을 말하는 건 아니고, 찌그러진 원이든 네모에 가까운 형태이든 간에 말이야. 그리고 줄여가는 게 아니라 오히려 확장되는 이미지를 떠올리게 되는 것 같아.

S. 《제로의 예술》 프로젝트를 하면서 가장 인상 깊었던 부분은 각기 다른 다양한 이야기들이 '타자에 대한 존중'이라는 측면에서 동일한 시선을 가지고 있다는 점이었어. 지금은 소수자, 동물권, 환경 등에 대한 담론이 다 연결되어 있다고 느껴져. 그래서 확장되었다고 느끼는 게 아닐까.

B. 제로에 관해 생각하면서 더 관심을 가지게 된 게
   있어?

S. 우리의 일에서 놓치고 있는, 소외를 발생시키는 게
   뭘까 생각해보게 됐는데, 시각에 대한 부분인
   것 같아. 우리가 하고 있는 시각디자인은 그 말
   자체에서 드러나듯이 시각이라는 신체 기관을
   이용하는 거잖아. 시각 장애를 가진 사람이
   소외되는 분야라는 생각이 들었어. 일상에서도
   그런 것들이 보이기 시작했어. 버스 도착을 소리로
   알려주는 전광판 아래 서있다 문득 '시각 장애를
   가진 사람들은 소리를 들어도 정류장에 서있는
   버스 중 어떤 버스가 타려는 버스인지 알기
   어렵겠구나' 하는 생각이 들기도 했고…. 그래서
   시각 장애를 소외시키지 않는 시각 디자인은
   무엇일까 하는 궁금증이 생겼어.

B. 그러게. 시각 디자인에 있어 제로는 보는 것에
   어려움이 있는 사람들일 수 있겠구나.

S. 우리 작업에서 뭘 해볼 수 있을까?

B. 큰 시도가 아니더라도 저시력자를 위한 것부터
   해보면 어떨까. 저시력자라는 게 특별히 어떤
   장애를 가지고 있는 사람들이 아니잖아. 우리의
   부모님들부터 해당되고, 나를 포함한 누구나
   저시력자가 될 수 있으니까.

S. 그렇지. 정도의 차이는 있겠지만 나이가 들면서 우리
   모두는 저시력자가 돼. 요새는 30대에도 노안이
   온다잖아.

B. 응. 특별히 저시력자를 위한 디자인으로 내세우지

않더라도 글씨 크기를 조금 더 키운다거나 고대비
요소를 활용한다거나 하는 방법으로 적용해볼 수
있지 않을까? 그럼 조금 더 많은 사람이 쉽게 읽을
수 있지 않을까.

S. 그래! 색을 사용할 때도 고려할 수 있겠네. 주황과
녹색은 대비가 강하면서도 잘 어울리는 색이라
많이 사용했던 것 같은데 적록 색맹이 있는
사람에겐 구별되지 않을 수도 있겠다.

잡담3. 제로의 책

B. 환경을 고려한 실험들에 앞서 나는 이 책이 보는
책이 아니라 읽는 책이었으면 좋겠어. 디자이너가
원하는 대로 실험해볼 수 있는 기회가 흔하지
않잖아. 그래서 처음에는 우리가 그동안 생각만
하고 실행해보지 못했던 여러가지 시도들을
과할지라도 많이 넣어보고 싶었어. 하지만,
생각할수록 이 책에 담긴 다양한 관점들은
읽힘으로써 드러난다는 생각이 들어.

S. 나도 이 책의 특성은 디자인이 부여하는 것이
아니라 글 스스로가 보여준다고 생각해. 그래서
표지가 없는 책을 상상했어. 그룹화의 과정에서
소외가 발생할 수 있다고 생각해. 그래서 『제로의
책』에 담겨질 글들이 하나의 이름으로 견고하게
묶이기보다는 느슨하게 모여있었으면 해.
그래서 책의 속살, 책 안에 담긴 이야기가 표지로

19

감춰지지 않았으면 좋겠어.

B. 앞뒤에 물리적으로 내지를 보호하는 두꺼운 종이가
필요할 수는 있겠지만 그 자리에 있어야 할 제목
대신에 글의 속 내용을 알 수 있는 목차와 판권
등의 서지정보를 바로 드러내면 어떨까. 제목이
없는 책.

S. 그리고 책이 엮인 모습이 보이도록 누드사철제본을
해도 좋겠다. 사철제본도 원래는 두꺼운 보드지를
겉종이로 감싸 견고하게 만드는 양장제본을 위한
제본 방법이니까.

B. 간지를 위한 페이지도 넣지 말자. 물론 빈 페이지가
글의 호흡을 조절하는 장치일 수 있지만, 이
책에서는 최소한의 공간만 남기자. 호흡은 독자의
몫으로 남기고.

S. 종이는 선택의 폭이 좁더라도 고지율 100퍼센트의
재생종이에서 찾아보면 좋을 것 같아.[11]

B. 그리고 지난번 기획 회의에서 누군가 한 질문이 쾅
하고 머리를 때렸어. 종이는 원래 흰색이냐고
물었잖아.

S. 나도 사실 아차 했어.

B. 이번에 다시 제로에 대해 생각하면서 또 당연하게
흰색을 떠올렸는데, 종이는 원래 흰색이 아니잖아.
그건 종이 본연의 색을 감추고 하얗게 표백해서

---

11. 이 책의 초판 1쇄와 2쇄는 고지율 100퍼센트의
재생지를 표지와 내지로 사용했다. 하지만 수요가
적은 수입 재생지를 안정적으로 마련하기가
쉽지 않아, 3쇄의 내지는 고지율이 낮은 국산
재생지로 변경했다.

만들어낸 색일 뿐. 그래서 먼저 종이에서 제로에
가까운 색을 찾아야 할 것 같아.

S. 그렇긴 한데 재생종이의 경우에는 '본연'이라는
개념도 달라져. 재활용 섬유의 대부분이 이미
표백이 된 후 사용된 종이라서 추가로 표백을
하지 않아도 흰색일 수 있으니까.

B. 보루지나 갱판지는 어떨까? 보통 합지나 싸바리[12]
종이로 사용하는 그 누런 종이들 말이야.
겉으로는 보이지 않지만 그 속에서 구조의 역할을
하고 있는 종이. 더군다나 고지로 만들어진
재생종이이기도 하고.

S. 판형을 결정하기 위해서는 종이의 전지사이즈와
결[13]을 고려해야 해.

B. 응 지난번에 몇 가지 종이를 고려해봤잖아. 표지로는
보루지나 갱판지, 내지로는 센토나 리시코라는
종이를 사용하면 좋겠다고 했었어. 이 종이들은
모두 4x6전지 사이즈로 나오네. 리시코만
세로결이고, 나머지는 가로결 종이들이야.

S. 4x6전지[14] 세로결에서 나올 수 있는 종이가 버려지는

---

12. 두꺼운 종이에 얇은 종이나 천을 감싸 덧대어
만드는 가공방식을 일컫는 말.

13. 펄프로 종이를 만들 때 종이의 진행 방향에
따라 결이 발생하게 되는데 이것을 종이의
결이라고 한다. 결의 방향에 따라 세로결(종목),
가로결(횡목)로 구분한다. 『종이 한 장 차이』
어라우드랩, 2020, 36쪽.

14. 인쇄용 종이는 국전지, 4X6전지가 일반적인
규격이지만 종이의 종류나 사용 용도에 따라
다른 크기로 제작되기도 한다. 『종이 한 장
차이』 어라우드랩, 2020, 35쪽.

부분을 최소화할 수 있는 몇 가지 판형을
계산해보자.

B. 대부분은 보편적으로 많이 쓰는 판형들이야. 46판,
크라운판 같은 이름들이 붙어있는 크기 말야.
조금 낯선 느낌이 나는 판형은 뭐가 있을까?
24절?

S. 디자인은 창작과 생산 사이에 있다고 생각해.
디자이너가 그 사이에서 어떤 입장을 취해야
하는지 고민하게 돼. 이 책이 결과를 위해
감춰지는 과정들을 드러내는 실험이길 바라는
한편, 생산과 유통이라는 과정을 거쳐 서점의
매대 위에 올라야 한는 현실도 배제할 수는 없어.

B. 예를 들어 코팅이 되지 않은 흰색 종이로 표지를
만들었을 때 플라스틱 비닐이나 종이 등으로 책을
한 번 더 감싸고 나서야 매대에 올라갈 수 있거나,
파본으로 반품될 수 있는 상황도 고려해야 한다는
거지.

S. 얼마 전 서점에서 반투명 종이로 싸인 해외 서적을
다시 비닐로 씌운 걸 봤잖아. 책은 그 반투명한
종이 포장지가 보호하기에 충분해 보였는데 그
포장지를 또다시 비닐이 보호하고 있었어.

B. 택배로 물건을 배송받을 때 비슷한 장면을 종종
목격하잖아. 골판지 박스로 된 제품 상자를 더 큰

골판지 택배 박스 안에 넣어서 보내는 것 말이야.

B. 큰글씨책이라고 알아? 저시력자들을 위해 30퍼센트
   정도 책과 글자의 크기를 키워 제작한 책이야.
   보통 일반적인 크기의 책과 별도로 제작하곤
   해. 그렇게 되면 인쇄를 두 번 해야 하니까
   제작비용도 늘어날 뿐만 아니라 제작 과정에서
   종이와 에너지도 더 많이 사용할 수밖에 없잖아.
   우리는 처음부터 일반과 저시력자용을 따로 구분
   짓지 않고 모두를 고려해서 큰 글씨로 제작하면
   좋겠어.
S. 그리고 유니버셜 디자인을 적용한 서체들이 있어.
   한글의 자음에서 저시력자들이 구분에 어려움을
   겪는 'ㅁ, ㅂ, ㅍ'이나 쌍자음의 형태를 조금 더
   구분하기 좋게 하거나, 자소간의 구분이 좀 더
   명확할 수 있도록 보완한 서체들이지.
B. 그런 서체들을 각주나 조금 더 작은 글씨를 넣을 때
   사용할 수 있겠다.

S. 그리고 우리가 기호로서의 제로에 대한 이야기를
   했잖아. 제로는 그 자체로 부재하는 기호고,

그래서 지시하는 y가 아닌 그 자리를 채워줄
z로 유도할 수 있으면 좋겠다고. 그래서 말인데,
제로의 모습이 꼭 '0'이어야 할까?

B. 책에는 글의 위치를 표시하기 위해 숫자(쪽번호)를
사용해야 하잖아. 그리고 거기에는 수많은 0이
있을 테고. 그 0을 다양한 형태의 모습으로
표기하면 어떨까. 0의 빈자리를 다양한 시선과
이야기들이 채워주길 바라면서.

잡담 4. 다시, 제로

S. 우리가 지금 제로라는 표현을 빌려 이야기하고
있지만, 결국 이건 디자인과 환경, 디자인과
사회에 대한 이야기 같아. 계속 말했듯이 디자인은
생산이고 소비인데, 이런 디자인이 지속 가능할
수 있을까?

B. 생산과 소비 자체를 부정하고 살아갈 수는 없어.
누구나 생산자인 동시에 소비자니까. 하지만
생산하는 입장에서 지속 가능하다는 말은 지구의
환경을 좋은 상태로 유지하겠다는 의미보다는
앞으로 계속해서 생산과 소비를 가능하게
하겠다는 의미인 것 같아서 디자이너로서 이 말을
쓸 때 항상 주저하게 돼.

S. 그럼 생산이 아닌 우리의 삶과 환경을 지속하기 위해,
우리는 디자이너로서 제로를 위해 뭘 해야 할까?

B. 실천적 방안을 모색하기 위한 노력이 중요한 것 같아.

우리에게 주어진 대상을 요소별로, 과정별로
분해해서 보는 것을 게을리하지 않으면서 우리가
할 수 있는 더 나은 선택지들을 찾는 거지.

S. 나도 그렇게 생각해. 무엇보다 제로의 주변을
맴돌면서 관심을 잃지 않아야 하고. 여러 시도를
해봐야지.

B. 숫자 0이 빈자리를 표시하기 위한 기호이듯이,
조금 고생스럽더라도 결과물만을 쫓기보다는
과정에서의 빈자리, 그동안 드러나지 않았던
문제나 현실을 표시하고 시각화하는 것에서
시작할 수 있지 않을까.

메타버그 세계관

최승준

바야흐로 기존의 문제를 해결하려다 새로운 문제를 창출하는 시대입니다. 이러한 일이 늘 발생하는 곳으로 세상을 바라보는 관점이 필요합니다. 2021년 6월 소셜 미디어에서 누군가 '메타버스'의 오타로 '메타버그'라고 썼다는 글에 다음의 댓글을 달아봤습니다.

> 여기서 버그가 디버그^{Debug}할 때의 버그라면, 메타버그$^{Meta\text{-}bugs}$는 버그를 다루는 버그로(메타미디어 같은 느낌으로다가), 이때 버그를 다루는 일이 디버깅이라면 메타버그는 디버깅에 생기는 버그로 뭔가를 바로잡고

통제하려고 할 때 필연적으로 따라올 수밖에 없는 운명의
버그를 말하는 걸까요?

**버그가 존재한다 → 디버깅한다 → 그래도 버그는
존재한다(디버깅하면 할수록)**

소프트웨어 공학에서는 소스 코드가 일정 수준을
넘어 충분히 복잡한 순환 경로를 가지면 기존 버그를
하나 해결할 때 새로운 버그가 하나 이상 추가될 수
있다고 이야기합니다. 우리가 살아가고 있는 동시대의
상황도 비슷합니다. 사회의 여러 문제들이 서로
복잡하게 얽혀있어 기존 문제를 하나 해결하려 할 때
오히려 새로운 문제를 창출할 가능성을 높일 수 있다고
생각합니다.

2021년 한 해를 관통하는 말 중에
메타버스*Metaverse*[1]를 빼놓긴 어렵죠. 페이스북도 10월
말에 회사명을 메타*Meta*로 바꾸며 메타버스 기업으로
거듭나겠다고 했습니다. 페이스북 창립자인 마크
저커버그*Mark Zuckerberg*가 메타를 새로 소개하면서
세상을 향해 보낸 편지는 이렇게 시작했습니다.

 우리는 인터넷의 다음 장이 펼쳐지는 시작 즈음에 있으며,
이것은 우리 회사의 다음 장이기도 합니다.

---

1. 현실세계와 같은 사회·경제·문화 활동이
   이루어지는 3차원 가상세계를 일컫는 말로,
   '가공, 추상'을 뜻하는 그리스어 '메타(meta)'와
   '현실 세계'를 뜻하는 '유니버스(universe)'의
   합성어.

그렇게 이름을 바꿔가며 "다음 장"을 추구하는 행보는 2021년 10월 초 열린 미국 상원 소비자보호 소위원회의 청문회에서 페이스북 전 직원 프랜시스 호건*Francis Hogan*이 증언하며 제기한 문제와 그 파급 효과를 따로 떼어놓고 보기 어렵다는 세간의 반응으로 이어졌습니다. "인스타그램이 청소년 정신 건강에 부정적인 영향을 준다는 내부 연구 결과를 가지고서도 오히려 어린이용 인스타그램 출시를 추진"해왔고 "공익과 회사의 이익 사이에서 이해 충돌이 일어날 때마다 늘 회사의 이익을 위한 최적화를 선택"했다며, 문제를 완화할 수 있는 방법을 알면서도 오히려 정치적 양극화를 조장하면서 이윤의 최대화를 도모했다고 내부 고발자는 주장했습니다. 이 모습을 보면서 "메타버스"가 됐든 "인터넷의 다음 장"을 펼치는 일이 됐든 이 또한 어떤 종류의 메타버그를 만드는 일이 되리라 짐작하며 마음에 안전 벨트를 채워봅니다.

　"인터넷의 다음 장"을 생각하기에 앞서 현재 인터넷의 문턱에 관해 생각해보면 어떨까요? 2021년 기준 세계 인구는 약 79억 명이고 이 중 인터넷에 접근 가능한 인구는 43억 명에서 50억 명 정도로 추산하고 있다고 합니다. 세계 인구의 36~45퍼센트 정도는 아직 인터넷에 접근하고 있지 못한 상황이죠. 인터넷을 쓰지 못하는 곳에 대형 드론을 띄워 인터넷 접근 문턱을 낮추자는 페이스북의 아퀼라*Aquila* 프로젝트는 2016년에 시작해 2018년에 종료했습니다. 마찬가지로 오지에 풍선을 띄워 무선 인터넷을 공급하는 구글의 룬*Loon* 프로젝트는 2011년에 시작해 2021년 1월에 종료했습니다. 이러한 프로젝트에는 인터넷이라는 중요한 매체에 누구나 접근할 수 있도록 지원하자는 '유통 기한'이 있는 선한 의도와 동시에 아직 인터넷에 접근하지 못하는 인류의 절반이 있는 시장을 개척하고 사업의 규모를 키우려는 영리적 의도가 공존한다고 어렵지 않게 추측할 수 있습니다.

　　무엇인가의 문턱이나 바닥을 낮추는 데는 이렇게 서로 다른 의도가 공존할 수 있습니다. 인터넷의 시작 즈음에도 그랬습니다. 재런 러니어*Jaron Lanier*의 2018년 테드*TED* 강연 〈우리는 인터넷을 새롭게 바꾸어야 합니다〉[2]를 보면 다음의 이야기가 나옵니다.

▶ 저는 우리가 아주 특별한 실수를 저질렀다고 생각합니다. (중략) 초기의 디지털 문화와 그리고 사실… 지금까지의 디지털 문화에는 말하자면 일종의 좌편향의 사회주의적 임무가 있습니다. 인류가 이뤄온 다른 업적들, 예를 들어 책의 발명 같은 것과 달리 인터넷 안의 모든 것들은 완전히 공개되어야 하고 공짜로 쓸 수 있어야 한다는 거예요. 단 한 명이라도 인터넷을 쓸 형편이 안 된다면 그에게는 너무나 불공평하기 때문입니다. 물론 그런 문제를 해결할 여러 방법이 있습니다. 책을 살 돈이 없으면 공용 도서관을 찾는다거나 그 외 방법들이 있죠. 하지만 이걸 생각해보면… 아니요. 여기엔 예외가 있어요. 인터넷은 순전히 공공의 것이어야 합니다. 우리도 그것을 원하고요. (중략) 물론 그러려면 방법은 단 하나뿐입니다. 광고 수익 모델이죠.

---

2. 더 자세한 정보는 『미래는 누구의 것인가』 (열린책들, 2016) 참고.

그래서 구글이 광고 덕분에 무료 서비스로 출발했고 페이스북도 광고 덕분에 무료로 시작했죠. 물론 처음에는 귀엽게 봐줄 만했어요. 초창기 구글은 그랬죠. (중략) 이들 행동 수정의 제국을 이용하는 이용자들은 이제 급격한 감정의 순환을 겪습니다. (중략) 대안은 시간을 되돌리는 거예요. 대단히 어렵더라도 말이죠. 그리고 결정을 다시 해야 합니다. 다시 한다는 것에는 두 가지 의미가 있어요. 첫 번째 의미로는, 형편이 되는 사람들은 서비스에 대한 비용을 실제로 지불해야 한다는 것입니다. 검색 비용을 지불하고, SNS 사용료를 지불하는 겁니다. (중략) 때로는 댓가를 지불하면 더 나은 걸 얻게 됩니다.

2021년 6월에 구글은 저장 용량 정책을 바꿨습니다. 사진과 문서를 무료로 클라우드에 올릴 수 있었던 시절을 마무리하고 사용자의 비용 지불에 기반을 둔 서비스로 가는 방향을 강화합니다. 비단 구글만의 행보는 아닐 겁니다. 문턱을 낮춰 많은 사용자를 확보하고 사용자가 충분히 락인*lock-in*[3] 되었을 때 얼마든지 일어날 수 있는 일입니다. 구독 방식을 취하는 소프트웨어와 서비스가 나날이 늘어가고 있습니다. 여러분은 어떤 구독 서비스를 사용하고 있습니까? 구독한 서비스와 그 사용 흔적이 여러분의 어떤 측면을 기계에게 알려주며 다양한 부작용을 만들어내고 있는 요즘입니다.

어떤 아이디어는 그것이 중요할수록 인재와

---

3. 소비자가 일단 어떤 서비스를 이용하기 시작하면 다른 유사한 서비스로 이전이 어려워지는 현상.

자본이 얽혀들어가며 부작용이 따라옵니다. 이
과정에서 아이디어와 자본 모두 아이디어가 실현되는
영향권이 더 커지도록 규모를 키우는 시기가 있습니다.
규모를 키우기 위해서는 더 많은 사람이 발을 들여놓을
수 있도록 너른 벽*Wide walls*을 추구해야 합니다. 이를
위해서는 쉽게 발을 들여놓을 수 있도록 문턱이나
바닥을 낮춰야죠*Low floor*. 그러한 접근이 이미 인류의
역사 속에 계속 있어왔지 싶습니다. 많이 들어오게
한 만큼 다양성을 획득하게 되고, 따라서 여러가지
시끌벅적한 충돌과 예상하지 못했던 문제를 창출하게
됩니다.

　　퍼스널 컴퓨터의 발명에 얽혀있는 선구자들의
이야기나 어린이를 위한 프로그래밍을 시도했던
시모어 패퍼트*Seymour Papert*와 그 후예들의
이야기에서도 우리는 늘 '선한 의도'를 읽을 수
있습니다. 이 중요한 아이디어를 현실에서 실천하려고
하면 그 아이디어에 내재되어 있는 '너른 벽'과 '낮은
바닥'이 수반하는 '높은 천장*high ceiling*'의 문제가
발생합니다.

높은 천장

너른 벽

낮은 바닥

2021년 교육계의 화두 중에 '2022 개정 교육과정'이 있었습니다. 이 논의 과정에서 소프트웨어정책연구소가 발간한 「디지털 대전환 시대의 모든 아이를 위한 보편적 정보교육 확대 방안」 리포트(2021.6.18)와 한국공학한림원·AI미래포럼이 주관한 〈2022 교육과정개편, 한국의 미래 좌우한다〉 포럼(2021.6.30) 등 공교육에서의 '정보 교육' 확대에 대한 목소리를 여러 번 확인할 수 있었죠.

이렇게 보편적 '정보 교육'의 기치를 높이는 일, 특히 SW(소프트웨어)·AI(인공지능) 교육의 문턱을 낮추고자 하는 시도에서도 기시감이 느껴집니다. 공교육에서 SW·AI 교육의 기치를 높이지 않아도 이것이 삶에 관한 문제라면 시장에서도 그 교육이 다뤄질 겁니다. 교육은 종종 '환상'을 파는 동시에 '두려움과 불안함'을 먹고 자라기도 했으니까요. 그러면서 많은 이들이 예상하듯 어떤 격차가 강화될 가능성이 높아질 수 있습니다. 그래서 공교육에서 이걸 포용하는 게 중요할 수 있는데, 이렇게 SW·AI 공교육의 기치를 높이는 일 자체가 더 많은 사람을 참여하게 하는 '너른 벽'과 '낮은 바닥'의 역할을 맡아주면서, 그 규모를 키우고 활발해지게 하며 우리에게 영향을 주는 일을 가속하게 만듭니다.

2021년 8월에 OpenAI[4]는 AI 기술을 활용해 소프트웨어를 작성할 수 있는 〈코덱스*Codex*〉를 발표했습니다. 아직 학습에 많은 데이터와 에너지를

---

4. 일론 머스크(Elon Musk)와 샘 알트만(Sam Altman)이 2015년 공동 설립한 인공지능 연구소.

사용해야만 하는 GPT-3[5] 기술에 기반을 둔 코덱스는 작성하고자 하는 코드에 관한 설명을 영어로 쓰면 거기에 대응하는 코드를 생성하는데, 이러한 방식을 프롬프트 프로그래밍*Prompt Programming*이라고 합니다. 사용자가 내용을 입력하고 인공지능을 통해 문구를 생성하는 방식입니다. 어느새 생각하는 바를 구체적으로 적으면 코딩을 할 수 있는 날이 성큼 다가왔습니다. 코덱스 시연을 얼핏 보면 코딩을 몰라도 코딩을 할 수 있게 해주는 것 같지만 코덱스가 생성한 코드의 품질을 판단하고 개선할 수 있으려면 코드를 잘 읽을 수 있어야 합니다. 그러므로 코덱스는 코딩도 알고 생각을 영어로 구체적으로 표현할 수 있을 때 더 도움을 받을 수 있는 도구인 것이죠.

2022년 2월에 딥마인드*DeepMind*가 발표한 논문의 후반부에는 "장기적으로 코드 생성은 고등 AI 리스크로 이어질 수 있다. (AI의) 코딩 능력은 재귀적으로 스스로를 개선할 수 있는 시스템으로 이어질 수 있으며, 이는 점점 더 발전된 시스템으로 빠르게 이어질 수 있다."고 슬그머니 적혀있었으며, 2022년 3월에 OpenAI와 비영리 연구소인 OpenResearch[6]는 코덱스가 경제에 미칠 영향을 기술하는 보고서에서 AI 연구자만이 아니라 정책 입안자, 기업, 노동자, 노동조합 등이 함께 고민할 장을 만들어 장차 기업이

---

5. 생성적 사전학습 변환기. OpenAI에서 만든 거대 언어 모델로, 네이버에서는 하이퍼 클로바를 준비 중.

6. 샘 알트만이 의장으로 있는, 기본소득 도입과 그 영향에 관해 연구하는 미국의 비영리 연구소.

프롬프트에 의해 인공지능이 생성한 이미지들. 〈Midjourney〉라는 도구를 사용했다.

"백설공주와 일곱 난쟁이(Snow White and the Seven Dwarfs)"
(위) 에셔(M. C. Escher) 풍으로 그린 것.
(아래) 지브리 스튜디오(スタジオジブリ) 풍으로 그린 것.

"어린왕자(The Little Prince)"
(위) 초상화 느낌으로 그린 것.
(아래) 유명 게임 스튜디오 댓게임컴퍼니(ThatGameCompany) 풍으로 그린 것.

코덱스를 도입하려고 할 때 어떻게 충격을 최소화하고 상생할지 논의하자고 제안했습니다.

OpenAI의 코덱스같이 SW·AI 교육과 활용의 문턱을 더 낮출 가능성이 있는 일에 전 세계의 가장 똑똑한 사람들이 모이고, 자본이 집중되고, 컴퓨팅 파워가 집중되는 이유는 무엇일까요? 거기에도 선한 의도가 있는 동시에 더 고도화된 높은 수준의 기술 권력을 강화하는 일이 양방향으로 일어납니다. 마찬가지로 SW·AI 교육을 확대하면 할수록 다음 세대의 재능 있는 사람들이 출현할 수 있는 가능성을 높이며 기술 시장의 규모도 커집니다. 최근 몇 년 동안 코딩을 교육하는 기관이 엄청나게 늘었지만 여전히 개발자가 무척 부족하다는 기사를 자주 볼 수 있습니다. 후발 주자가 많이 참여할수록 멈춰있지 않은 선발 주자도 득을 봅니다. 여기에는 과학자 사회의 부익부 빈익빈 현상을 일컫는 '마태 효과*Matthew Effect*' 비슷한 것이 있다고 생각합니다. 기술 권력이 강화되는 현상에는 늘 유사한 패턴이 나타나곤 했죠. 물론 접근성이 낮아지며 참여가 많아지는 과정에서 한때의 풍요로운 자원이 나눠지고 보다 많은 사람들에게 배움과 성장의 기회가 나눠질 것입니다. 다만 그렇게 줄어드는 격차 대비 광범위한 탐색을 통해 발현된 재능에 의해 늘어나는 격차 사이의 균형이 어떨지 궁금합니다. 또한, 코덱스와 같은 도구도 범용성과 유용성을 확인한 후에는 결국 구독 서비스가 될 것이라 어렵지 않게 예상할 수 있습니다. 물론 대가를 지불하면 더 나은 것을 얻게 됩니다.

MIT 미디어 랩 내의 '평생유치원 그룹'은 그들의 대표적인 프로젝트인 〈스크래치*Scratch*〉를 10퍼센트의 어린이가 아니라 90퍼센트의 어린이를 위한 도구라고 말해왔습니다. 10퍼센트의 어린이가 아닌 90퍼센트의 어린이를 위한 '생각을 잘 할 수 있도록 지원하는 도구'의 개발은, 생각하기에 따라서는 90퍼센트의 어린이를 위하는 동시에 10퍼센트의 어린이가 역량을 잘 발휘할 수 있는 무대를 넓히는 일이기도 합니다. 2021년에 번역된 『언택트 교육의 미래』를 읽어보면 한때 교육의 복잡성, 불균일성, 불평등 등의 문제를 해결할 수 있으리라 여겨졌던 2010년대의 MOOC[7]에서 2020년대의 에듀테크[8]까지, 기술을 활용한 접근이 현실의 교육에서 어떻게 작동하고 있는지를 반성적 관점으로 상세하게 살펴볼 수 있습니다. 원제인 "Failure to Disrupt(와해하는 데 실패하다)"는 기술만으로는 교육에서 와해성 혁신*Disruptive innovation*[9]을 이룰 수 없었다는 의미를 담았다고 여겨집니다. 맺음말인 '대규모 학습에 관한 과대광고 주기에 대비하기'를 보면 다음과 같은 말이 나옵니다.

---

7. 대규모 사용자를 대상으로 하는 온라인 공개 수업으로 Massive Open Online Course의 약자. 대학 온라인 강의, 테드 같은 일회성 강의 등이 모두 포함된다.

8. 교육(Education)과 기술(Technology)을 조합해 만든 용어로 빅데이터, 인공지능 등 정보통신기술을 활용한 교육을 뜻한다.

9. 전통적 기대와는 전혀 다른 기능이나 내용으로 기존 시장에서 우위를 점하는 혁신.

아울러서 교육자들은 뿌리 깊게 박혀있는 구조적 불평등을 신기술을 통해 수정해야 한다고 주장하는 접근 방식을 경계해야 한다. 아마도 신기술이 더욱 공평한 학습 생태계를 만드는 데 기여할 수 있겠지만 기술만으로는 교육을 민주화할 수 없을 것이다.[10]

구조적 불평등을 게임 〈로블록스*Roblox*〉에 빗대어 이야기하기 위해 『본성과 양육이라는 신기루』에서 설명하는 그림을 한번 봅시다. 양동이에 물을 넣고 있는 그림인데, [그림 1]에서는 A와 B가 각각 호스를 잡고 있습니다. A는 40리터의 물을, B는 60리터의 물을 양동이에 채웠고 따라서 A와 B의 기여를 명확하게 알 수 있습니다. [그림 2]에서는 A가 호스를 잡고 있고 B는 수도꼭지를 제어합니다. 이제 양동이에 채워진 물의 양 중 얼마만큼이 A 덕분이고 얼마만큼이 B 덕분인지 알기 어렵습니다. 원인들이 상호작용하는 경우입니다. 이블린 폭스 켈러*Evelyn Fox Keller*는 '본성'과 '양육'의 문제가 이분법적 개념이 아니라 서로 영향을 끼치는 요소라는 점을 인정하고 말하기 위해 이 예를 사용했습니다. 어느 쪽이 더 중요한가를 논하는 데 여력을 소모하기보단, 다양한 원인이 어떻게 상호작용하는지 연구하자는 제안을 펼친 것이죠. 세상을 이분법으로 단순화하는 대신 이렇게 상호작용의 관점에서 보자는 아이디어를 〈로블록스〉의 맥락에도 적용해 볼 수 있습니다.

---

10. 저스틴 라이시(Justin Reich), 『언택트 교육의 미래』, 안기순 옮김, 문예출판사, 2021, 333쪽.

[그림 1]

[그림 2]

요즘 초등학생 중에는 메타버스 이슈에서 특히 화제가 됐던 〈로블록스〉 게임을 만들기 위해 〈로블록스 스튜디오〉[11]에서 〈스크래치〉보다 훨씬 난이도가 높은 〈루아Lua〉 언어를 배우고 활용하는 경우가 있습니다. 〈로블록스 스튜디오〉는 만듦새가 훌륭한 창작 도구로 무료입니다. 교육 분야에서 의미 있게 활용할 수 있는 잠재력도 가지고 있습니다. 이 〈로블록스 스튜디오〉를 계속 무료로 문턱 낮게 사용하기 위해서는 〈로블록스〉 게임이 잘 되어야 합니다. 〈로블록스〉 게임이 잘 된다는 것은 그 안과 밖에 있는 경제가 잘 돌아가야 하고 그건 광고와 과금 시스템이 잘 돌아가야 한다는 의미이기도 합니다. 어디에선가 그 소비가 활발하게 일어나야만 이 창작 도구를 무료로 사용할 수 있습니다. 메타가 어린이용 인스타그램 출시를 추진해 유해성 논란이 일었던 것처럼 〈로블록스〉에서도 다양한 부작용이 일어날 수 있습니다. 그러나 〈로블록스〉가 존재해야만 〈로블록스 스튜디오〉도 존재할 수 있습니다. 그렇다고 뻔히 보이는 부작용을 방관해야 할까요? 동시대 도구를 건강하게 활용하도록 안내하는 디지털 리터러시 교육만으로 여러 부작용을 충분히 완화할 수 있을까요? 복잡한 문제입니다. 규모의 경제가 돌아가는 이러한 곳에서는 여러 유혹이 있을 수 있고, 그 안에서 마음 챙김이 가능한 사람만이 휘둘리지 않고 건강하고 균형있는 생활을 하는 것이 가능합니다. 거꾸로 말하면 마음 챙김이 가능하지 않은 사람이 일정 규모로

---

11. https://roblox.com/create

존재한다는 사실을 묵과하면서 무언가를 사용하게 될 수도 있다는 것입니다. 곰곰이 생각하다 보면 이러한 구조적 불평등이 제법 많습니다. 기술과 교육도 여기에 해당한다고 생각합니다. 기술은 스스로를 와해하면서 계속 변신합니다. 마치 변화무쌍한 바다의 신 프로테우스*Proteus* 같습니다. 기술은 끊임없이 변신하는 방식으로 불평등을 유지합니다.

1960년대에 어린이를 위한 코딩 교육을 시작했던 시모어 패퍼트는 컴퓨터가 "프로테우스 – 기계의 변화하는 신*the Proteus of machines*"이라고 말했습니다. 컴퓨터가 무엇으로도 변신할 수 있다는 이야기는 다시 퍼스널 컴퓨터의 발명에 큰 영향을 준 앨런 케이*Alan Kay*의 '메타미디어' 개념으로 연결됩니다. 컴퓨터는 모든 미디어가 될 수 있다는 관점이 메타미디어입니다. 컴퓨터는 계산을 통해 어떤 미디어든 시뮬레이션할 수 있습니다. 시모어 패퍼트와 앨런 케이가 그렸던 이상적인 아이디어는 오늘날에도 여전히 통합니다.

하지만 그 이상을 실현하는 과정에서, 현실은 새로운 지평을 열면서 동시에 새로운 종류의 문제를 야기했습니다. 그리스 신화에 프로테우스*Πρωτεύς*와 비슷한 이름을 가진 신의 이름으로 프로메테우스*Προμηθεύς*가 있다는 사실도 문득 떠오릅니다. 코딩으로 창작할 수 있도록 예술가들을 도왔던 도구 〈프로세싱*Processing*〉의 역사를 다룬 글의 제목이 공교롭게도 「현대의 프로메테우스」[12]였죠.

12. Casey Reas and Ben Fry, "A Modern Prometheus," Processing Foundation, 2018.5.29.

신화에서 인간에게 불을 나눠줬던 '먼저 생각하는
사람 - 프로메테우스'와 '뒤늦게 깨우치는 사람 -
에피메테우스' 그리고 '판도라'의 이야기도 생각납니다.
판도라의 상자 속에 들어있다 빠져나간 것과 남은 것이
새삼 흥미롭게 느껴집니다. 신화 속 이야기가 아니라
현실로 돌아와 요즘의 세태와 풍경을 마음속에서
조망해봅니다. 우리에게 남아있는 것은 참된
희망일까요 아니면 헛된 희망일까요.

〈스크래치〉를 만든 '평생유치원 그룹'의 미첼
레스닉*Mitchel Resnick*은 「시모어의 아이디어와 사랑에
빠지기」라는 글에서 '낮은 바닥', '너른 벽', 그리고 '높은
천장'의 관계를 다음과 같이 풀어냅니다.

 어떻게 그 아이디어들이 쉽게 시작할 수 있도록 돕는 '낮은
바닥'과 시간에 따라 더 복잡해지는 탐색을 해볼 수 있는
여지를 주는 기회인 '높은 천장'을 실현하는 기술, 그리고
'너른 벽'이라 부르는 다양한 배움의 스타일과 알아가는
방식을 가진 어린이들을 환대하며 초청하는 기술을
개발하는 노력을 하도록 저를 안내했는지 생각했습니다.
어렵기 때문에 오히려 도전되어 즐겁다는 '어려운 즐거움'에
관한 시모어의 토론에 관해 생각했습니다.

'높은 천장'이 시간에 따라 더 복잡해지는 탐색을
해볼 수 있는 여지를 주는 기회라면, 많은 사람을
환대하는 '너른 벽'과 '낮은 바닥'은 그 사람들을
'높은 천장'이라는 어려운 도전으로 안내하는 확률을
높이려는 전략으로 볼 수 있습니다. 규모를 키워야

'높은 천장'의 기회를 얻으려 하는 사람도 많아집니다. 물론 '높은 천장'은 복잡성을 높여가는 열린 기회일 뿐 참여하는 모두가 거기에 다다르는 것을 보장하는 것은 아닙니다. 어떤 문제의 차원을 높여가며 복잡한 탐색을 하다 보면 그 문제에 관한 일반해를 구하진 못하더라도 제약 조건이 있는 특수한 상황에서 풀리는 특수해를 찾는 확률을 높일 수 있습니다. 문제 영역에서 탐색하며 알게 된 내용이 더 복잡해지면 원래 문제의 그림자에 해당하는 낮은 차원의 문제를 풀 수 있게 되는 경우가 있죠. 문제를 풀기 위해 때로는 문제를 더 복잡하게 만들어야 합니다.

『랑시에르의 '무지한 스승' 읽기』에는 다음과 같은 이야기가 나옵니다.

사실 진보라는 생각 자체가 불평등에 기반을 둔 것이다. 지식의 불평등을 교육을 통해 개선시키면서 무식의 단계에서 유식의 단계로 점차 나아가는 것이 교육에 있어서의 진보이다. 교육이 있기 위해서는 반드시 불평등이 있어야 한다. 그리고 교육은 항상 지속되는 것이기 때문에 불평등도 계속되어야 한다. 교육이 있기 위해서는 교육이 궁극적으로 이루고자 하는 평등에 이르는 과정은 끝없이 지연되어야 한다. 불평등의 상태는 개선된다 하더라도 영원히 지속되어야 한다. 이렇게 해서 진보론자들의 교육은 "불평등을 차츰차츰 평등하게 만드는 수단, 다시 말해 평등을 무한정 불평등하게 만드는 수단이다".[13]

---

13. 주형일, 『랑시에르의 '무지한 스승' 읽기』, 세창미디어, 2012.

만약 어떤 방식과 접근을 취하든 불평등을 떨쳐낼
수 없다면, 잔혹한 낙관주의가 될 수 있는 과대광고를
지양하는 것도 방법입니다. "A라는 것이 앞으로 무척
중요해지는데, 그렇기 때문에 모두가 A를 알아야 하고,
B라는 접근을 취하면 누구나 A를 할 수 있다"라고
이야기하지 않는 것이죠. 굳이 환상을 팔아가면서
누구나 할 수 있다고 이야기할 필요가 없습니다.
그렇다고 불평등과 같은 복잡한 문제들이 해결될
조짐조차 보이지 않고 오히려 복잡해져만 간다고
비관할 필요도 없다고 생각합니다. 복잡한 면면을
알면 알수록 문제를 더 복잡한 차원에서 다룰 수 있게
되고, 근본적인 해결책을 찾진 못하더라도 제약이
있는 특수한 상황에서 작동하는 해결책을 다양하게
발견해나갈 수 있습니다. 영원히 풀리진 않더라도
부분적인 해결을 향해 계속 점근해갈 수 있습니다.

알파고*AlphaGo*가 큰 화제가 됐던 2016년 3월,
한국을 찾은 딥마인드의 데미스 허사비스*Demis Hassabis*는 공개 강연에서 인공지능이 '메타솔루션*Meta-solutions*'[14]이 될 것이라고 말했습니다.

▶ 이제 철학적 레벨에서 왜 제가 인공지능에 20년이 넘도록
매진해왔는지 말씀드리고 싶습니다. 우리가 해결해야
할 중요한 문제들인데요. 현 사회가 직면하고 있는 두
가지 큰 문제점 중에 하나가 '과다 정보'입니다. 유저와

---

14. AI를 해결하는 솔루션을 찾으면 AI가 과학,
수학, 의학, 에너지 등 여러가지 어려운 문제를
해결하는 솔루션을 찾는 데 적극적으로 활용될
수 있다는 의미.

과학자로서 게놈이나 물리와 같이 중요한 것에서부터 엔터테인먼트같은, 예를 들면 우리가 볼 수 있는 것보다 채널이 많은 것들도 우리들이 처리하기에는 너무 많은 정보로 다가옵니다. 두 번째는 '시스템의 복잡성'입니다. 우리가 더 이해하고 마스터하고 싶어 하는 시스템은 엄청나게 복잡합니다. 기후, 질병, 에너지, 거시경제 등의 모든 것이 너무 복잡한 시스템입니다. 저는 인공지능을 이 모든 문제의 메타솔루션으로 봅니다. 만약에 우리가 인공지능을 이 모든 분야에서 활용할 수 있다면 우리는 과학자들과 의료진들과 연구원들을 보조해서 각 분야를 더 빨리 발전시킬 수 있습니다. 그래서 제 꿈은 현재 개발 중인 이런 인공지능을 이용해서 인공지능 과학자나 인공지능의 보조를 받는 과학을 가능하게 하는 겁니다. 윤리와 책임에 대해서 짧게 한마디 하자면 인공지능을 포함한 지금 이 새로운 기술들은 모두 윤리적으로 책임감 있게 사용되어야 합니다. 기술 자체는 중립이라고 생각합니다. 그 기술을 우리 사회가 어떻게 사용하는지에 따라서 좋아지기도 하고 나빠지기도 한다고 생각합니다.

과연 기술 자체는 중립일까요? 과학·기술의 가치중립성에 관한 오래된 논의를 동시대가 어떻게 해석해야 할지 단언하긴 어렵지만 인공지능이 동시대의 메타솔루션으로 자리 잡아가고 있는 것은 분명해 보입니다. 동시에 메타버그 관점에서 보면 이러한 새로운 해결책은 새로운 문제를 만들 가능성을 높이는 일이기도 하죠. 문제를 창출하는 것은 기업가의 관점에서는 미덕일 수 있습니다. 최근 IT분야에서

'문제를 인식하고 정의하는 능력'이 인재의 조건으로 회자되는 이유이기도 하죠. 스타트업의 입장에선 시스템의 틈바구니에 미해결로 남아있는 문제가 무엇인지를 찾아야 하니 오히려 문제가 존재하는 것이 반가울 수도 있습니다.

문제를 반가워하는 사람들, 문제를 해결하며 새로운 문제를 창출하는 사람들이 어떤 인식을 가지면 바람직할까요? 문득 진보進步라는 한자가 '나아가는 발걸음'이라는 뜻을 가졌다는 생각이 납니다. 두 발로 걸을 때 한 발을 허공에 내밀려면 나머지 한 발로 땅을 단단하게 디디고 있어야 합니다. 내딛은 발이 땅을 밟고 안전하게 몸의 무게 중심이 이동한 후, 뒤에 있던 발을 앞으로 당겨서 다시 내딛습니다. 그렇게 두 발이 번갈아가며 역할을 바꿔야 한 걸음씩 나아갈 수 있습니다. 한 몸에 두 다리가 있는 경우 뒤에 있던 발을 당겨 제 차례를 주지 않고서야 몸이 앞으로 나아갈 수 없습니다. 그러한 인식을 나아가는 차례에 있는 사람들이 가지면 좋겠단 생각을 해봅니다. 물론 두 발이 한 몸이 아니라면 성립하지 않는 이야기입니다.

다음의 제안을 해봅니다.

해결책을 찾기 어려운 복잡한 문제를 다룰 땐, 어떤 하나의 방법이 보편적으로 작동할 수 있다고 과대 광고를 하기보단, 특수한 상황에서 제한적으로라도 작동하는 용례를 다양하게 탐색해보며 작은 성공 사례를 축적합니다. 다양하게 탐색하고 다양하게 시도해 보는 과정에서 오차나 오류가 생기는 것도 인정하고, 그 오차를 줄일 수 있는 방향으로 다음 시도를 모색합니다. 이렇게 방향을 조정하며 작은 규모에서 작동하는 성공의 예를 축적하다 보면, 관점에 따라서는 이러한 상황이 균질하지 않고 불평등해 보일 수 있습니다. 그러한 인식이 다음 층위의 문제를 창출합니다. **새로운 종류의 문제를 야기하면서 또 새로운 지평을 열 것입니다.** 이 과정은 아마 다양한 충돌이 가득하며 시끌벅적하겠죠.

어떤 오픈 소스나 소프트웨어를 활용할 때 버그를 발견하고 해결해나가는 과정이 보이지 않는다면 사용을 망설이게 될 때도 있습니다. 업데이트 없이 정체되어 있는 상태에서 생명성을 느끼지 못하기도 하죠. 너무 변화가 잦은 것도 불안하고 피로를 불러일으키지만 차라리 시끌벅적한 편이 생명성이 있다고 생각합니다. 문제를 해결하며 문제를 창출하는 메타버그가 나쁘지만은 않게 느껴집니다. 언제고 그 시끌벅적함이 가라앉을 때도 오겠지만요.

재야생화: 인류세의 미래를 위한 대담한 상상

최명애

인간이 사라지면 세상은 어떻게 될까. 미국 저널리스트 앨런 와이즈먼*Alan Weisman*은 베스트셀러 『인간 없는 세상』에서 인간이 사라진 미래의 연대기를 제시한다. 인간이 사라지고 불과 이틀 뒤, 펌프 가동이 중단되면서 뉴욕의 지하철역이 물에 잠기기

시작한다. 1년 뒤엔 고압 전선 전류에 희생되던
새들이 다시금 번성하고, 10년 뒤엔 빗물과 이끼가
벽의 틈새를 벌려 건물이 무너지기 시작하고, 20년
뒤엔 논과 밭의 작물들이 인간이 개량하기 이전의
야생 상태로 돌아갈 것이다. 그리고 30억 년이 흐르면
우리가 상상도 하지 못할 생명체들이 지구상에 번성할
것이며, 인간의 흔적은 다만 라디오와 텔레비전 전파로
남아 외계를 부유할 것이다….

　　와이즈먼의 대담한 상상처럼 우리는 '인간 없는
세상'을 종종 '자연의 역습'과 연결시킨다. 견고해
보였던 인간의 문명이 허물어져내리고, 나무와
풀, 야생 동물이 다시금 번성해 문명의 폐허를
잠식하는 모습. '재야생화rewilding'는 이같은 미래에
대한 디스토피아적인 – 동시에 자연의 입장에선
유토피아적일 수도 있는 – 상상력을 촉발하는
개념이다. 인류가 전대미문의 생태 위기에 직면해
있으며, 이 위기를 촉발한 근본 원인을 인간의 경제적
활동으로 보는 최근의 인류세Anthropocene 진단은, 미래를
헤쳐나갈 여러 방법 중 하나로 재야생화를 생각케
한다. 인간의 개입을 일단 중지하고 지구를 다시금
'야생화'하자는 재야생화는 근대적 인간-자연 관계를
반성적으로 돌아보고, 대담한 실험과 실천을 통해
이를 혁신할 것을 제안한다. 재야생화에 대한 관심과
빠른 확산은 이같은 직관적이면서도 전복적인
상상에서 나오는 듯하다.

인류의 계속되는 자연 개입은 두 가지의 상반되는 자연을 만들어냈다. 먼저, 작물과 가축은 인간이 필요를 위해 길들인 자연의 모습을 보여준다. 자연 지역에 서식하는 동식물 중 일부를 선별한 뒤 과학과 기술을 이용해 품종을 개량하고 생산량을 비약적으로 늘인 것이다. 산업적 영농과 공장식 축산은 인간의 굶주림을 해결하고 잉여 자본을 축적하게 했지만, 전통 농가가 유지해온 농작물과 가축의 다양성을 급격히 감소시켰다. 이같은 측면에서 단일 작물이 빼곡히 늘어선 경작지의 모습이나, 같은 품종의 닭이나 돼지가 사육장을 가득 채우고 있는 모습은 또 하나의 인류세 현장이라 할 수 있다.

한편, 동식물의 멸종을 막고 생물다양성을 증진하기 위해 보호지역을 설정하고 이를 유지·관리하는 모습은 인류가 만들어낸 또 다른 자연의 모습이다. 보호지역으로 대표되는 자연은 인간 사회로부터 분리돼 독립적으로 존재하는 공간으로 여겨진다. 보호지역 지정 이전부터, 혹은 이후에도 지속되는 인간의 행위들 – 농업, 사냥, 제의 등 – 은 자연을 위협하는 행위로 재규정되고 다양한 법적, 제도적 장치들을 통해 제거된다.[1] 이처럼 인류세의

---

1. Dan Brockington, *Fortress conservation: The preservation of the Mkomazi Game Reserve, Tanzania* (Bloomington: Indiana University Press, 2002).

자연은 인간이 만들어낸 사회적 존재로서의 자연(가축, 농작물)과 인간의 손이 닿지 않은 존재로서의 자연(보호 지역 내 동식물)이라는 두 가지 상반된 모습으로 상상되곤 한다. 인간과 동물, 자연과 사회를 분리하는 근대적 이분법이 자연에 대한 사유와 실천에서도 다시금 반복되는 것이다.

인간의 손이 닿지 않은 '깨끗한*pure*' 자연을 창조하고 유지하려는 근대적 열망이 원주민과 지역 주민 및 이들의 일상적 행위를 보호 지역에서 제거하는 방식으로 작동했다면, 일종의 마이크로 자연인 집과 신체에서도 이같은 과정이 반복된다. 집과 신체에 '서식'하는 해충, 미생물, 기생충을 완벽히 제거해 균이 없는 신체와 공간을 만들고자 하는 것이다. 미생물이 질병을 유발할 수 있다는 사실이 알려진 19세기 후반 이후, 인류는 강도 높은 멸균·항균 프로젝트를 통해 집과 건물의 미생물을 몰아내고, 항생제를 투여해 인체의 미생물을 박멸해왔다. 즉, 인간이 주도적 행위자가 되어 '자연'과 '사회'의 모습을 규정하고, 과학 기술과 지식을 통해 이를 만들고 유지함으로써 '인류세의 자연'을 만들어온 것이다.

재야생화: 통제 해제를 위해 통제하라

한편 재야생화는 이같은 인간 중심적, 이분법적, 근대적 자연에 대한 열망을 허무는 데서 출발한다. 큰 틀에서 재야생화는 생태적 과정과 작용의 자생력*self-willed*에 초점을 맞춘 생태 복원 및 관리 전략이다.[2] 훼손된 자연 지역을 복원할 때, 지금까지 이상적인 생물종의 조합과 수량을 인간이 결정하고 개입을 통해 이를 달성하고 유지하는 데 주력해왔다면, 재야생화 옹호자들은 자연의 생태 과정을 활성화함으로써 자연이 스스로 복원을 주도하게끔 할 것을 제안한다. 즉, 자연 복원 및 관리의 주도적 역할을 인간에서 자연으로 이양하자는 것이다.

재야생화라는 아이디어는 1990년대 초반 미국 환경운동가 데이브 포어맨*Dave Foreman*과 복원생물학자 마이클 사울*Michael Soule* 등이 처음 제안했다. 이들은 현재 북미의 보호 지역이 파편화되어 대형 야생 동물을 부양하기에 적절치 않다고 지적하며, 북미의 보호 지역들을 생태 통로로 연결함으로써 대형 야생 동물이 서식할 수 있도록 할 것을 제안했다. 이들은 대형 야생 동물이 뛰어노는 북미 자연에 대한 낭만적 비전을 재야생화라는 직관적 개념으로 제시했다. 재야생화는 2000년대 중반 이후 유럽에서 버려진 농경지를 '재생'할 수 있는 방안으로 제안하면서 본격적으로 주목받았다.[3] '리와일딩 유럽*Rewilding Europe*'이라는

---

2. Nathalie Pettorelli, Sarah M. Durant, Johan T. du Toit, *Rewilding* (Cambridge University Press, 2019); Paul Jepson, Cain Blythe, *Rewilding: The Radical New Science of Ecological Recovery* (Icon Books, 2020); 조지 몬비오, 『활생』, 김산하 옮김, 위고, 2020.

3. Henrique M. Pereira, Laetitia M. Navarro, *Rewilding European landscapes* (Springer Nature, 2015).

민간단체를 중심으로 영국, 네덜란드, 포르투갈, 라트비아 등지에서 2020년 기준 70여 개 프로젝트가 진행 중이다.

　북미, 유럽, 호주 등 지역에 따른 차이를 보이지만, 재야생화는 대체로 간척지, 숲, 자연 공원, 버려진 산업 단지, 사용하지 않는 농경지처럼 인간에 의해 만들어지거나 훼손된 자연 지역을 대상으로 한다. 목표는 훼손 지역을 복원해 인간의 '도움'이 없이도 스스로 생존하는 역동적인 생태계를 만드는 것이다. 이를 위해서 초기 단계에는 일정 수준의 개입이 요구된다. 즉, 재야생화 프로젝트의 디자인과 실천을 위해 '통제 해제를 위한 통제Controlled decontrolling'가 필요한 것이다.

북미와 유럽의 재야생화

북미의 재야생화는 '핵심종keystone species'을 재도입해 영양 단계를 복원하는 **영양 재야생화**trophic rewilding의 방식으로 이뤄진다. 핵심종은 개체수에 비해 생태계 먹이그물에서 갖는 역할이 현저하게 높은 종으로, 대개 먹이그물 최상위의 대형 포식자다. 대형 포식자가 생태계 균형의 열쇠를 쥐고 있다고 보고, 대형 포식자의 개체수를 조절함으로써 먹이그물 아래로 연쇄적인 효과가 나타나게 하는 것이다.

　미국 옐로스톤 국립공원의 회색늑대 재도입은 영양 재야생화의 대표적인 사례로 꼽힌다. 옐로스톤

재야생화: 인간 이후의 미래를 대담히 상상

53

국립공원은 최상위 포식자인 늑대가 멸종하면서
엘크와 사슴 같은 대형 초식 동물의 수가 크게 늘어,
이들의 먹이가 되는 관목류와 초본류가 심각하게
훼손되는 상황에 처했다. 미국 국립공원은 1995년
옐로스톤 국립공원에서 멸종된 회색늑대 한 무리를
풀어놓는 것으로 재야생화 프로젝트를 시작한다.
최상위 포식자인 늑대가 다시 나타나면서 먹이그물에
즉각적인 변화가 발생했다. 늑대가 엘크를 잡아먹어
엘크 수는 반토막이 났고, 엘크가 줄면서 그간 엘크
때문에 자라지 못했던 관목과 초본류가 다시 자라났고,
이를 먹기 위해 비버 같은 소형 초식 동물이 늘어났다.
즉, 회색늑대를 통해 엘크 개체수를 조정함으로써
교란되었던 생태계 먹이사슬을 재조정한 것이다.
옐로스톤 사례를 통해 북미 재야생화는 대형 육식
동물을 조절해 대륙적 차원에서 생태계 연결성을
강조하는 방향으로 발전했다.

한편 유럽의 재야생화는 북미와 상이한 생태적,
경제적, 문화적 배경에서 출발한다. 유럽에서는
20세기 후반 산업 구조의 변화로 버려진 산업
지역과 농경지가 빠르게 늘어나면서, 이같은 유휴
지역을 생태적으로 이용하는 방식으로 재야생화에
대한 관심이 촉발했다. 재야생화 지역의 규모가
상대적으로 작고, 대형 육식 동물 대신 풀을 뜯어 먹는
소, 말, 사슴 등과 같은 방목 동물을 이용하는 형태다.
북미에 비해 자연 생태계의 생태적 과정을 촉진하는
데 주력하고 있어 **생태적 재야생화**ecological rewilding로
별도로 분류된다. 네덜란드 암스테르담 외곽의

우스터바더스플라산(OVP) 복원이 유럽의 첫 재야생화 프로젝트다.[4]

　　OVP는 1968년 산업 용지로 조성된 간척지였으나, 이후 용도를 찾지 못한 채 30여 년 가까이 버려진 곳이었다. 그런데 1980년대부터 저어새와 같은 멸종 위기의 희귀한 동물들이 OVP를 찾기 시작하면서 1980년대 말부터 본격적인 자연 복원 계획이 수립되기 시작했다. OVP 복원의 총책임자였던 고생물학자 프란츠 베라*Frans Vera*는 한 무리의 소와 말, 붉은 사슴을 풀어놓는 것으로 복원 작업을 개시한다. 옐로스톤 국립공원의 회색늑대와 달리, 이들 방목 동물*grazing animals*은 과거 OVP에 서식하던 종이 아니었다. 외부에서의 새로운 동물 유입이 생태계에 미치는 영향에 대한 우려 속에서, 베라는 이들 동물들이 풀을 뜯어먹는 동물이라는 점을 강조했다. 이들의 섭식 행위가 곤충을 불러들이고, 소형 초식 동물, 대형 초식 동물, 이어 육식 동물까지 연쇄적으로 불러들임으로써 이 지역에 존재하지 않던 생태계 먹이그물을 새롭게 만들어낼 수 있다는 것이다. 방목 동물을 복원의 '기술자'로 고용한 베라의 아이디어는 어느 정도 성공을 거두었고, OVP는 메마른 간척지에서 다양한 동식물상이 공존하는 새로운 생태계로 변모했다.

---

4. Jamie Lorimer, Clemens Driessen, "Wild experiments at the Oostvaardersplassen: Rethinking environmentalism in the Anthropocene," *the Institute of British Geographers* 39, No. 2 (2014): 169–181.

복원 후의 우스터바더스플라산

한편, 분쟁이나 재난으로 인간 접근이 차단되면서 자연이 복원되는 **수동적 재야생화**passive rewilding 또한 찾아볼 수 있다. 사상 최악의 원전 사고가 발생한 체르노빌 지역이 대표적인 사례다. 1986년 사고 직후 주민들을 모두 대피시키고 해당 지역을 봉쇄하면서 체르노빌에서는 30여 년 이상 인간의 일상적인 경제 활동이 중단됐다. 2004년 우크라이나 연구진은 말 36마리를 풀어놓고, 체르노빌 지역 곳곳에 원격 감시 카메라를 설치해 야생 동물의 활동을 관찰해왔다. 방사능 오염은 여전하지만, 인간이 사라진 체르노빌에는 풀과 나무가 번성하고 야생 동물들이 찾아오고 있다. 유럽 들소와 붉은 사슴은 물론, 늑대, 링스, 갈색곰과 같은 대형 육식 동물도 관찰된다. 체르노빌 지역의 생태상이 복원되면서 우크라이나 정부는 체르노빌 일대 2,300제곱킬로미터를 '체르노빌 방사능 및 생태계 보호구역'으로 지정한 상태다.

우리 옆의 재야생화

그렇다면 이처럼 인간이 물러난 자리에 번성하는 자연의 모습을 우리 가까운 곳에서는 찾을 수 없을까. 가장 먼저 직관적으로 떠오르는 곳은 비무장지대(DMZ)다. DMZ는 남북 대결과 냉전으로 민간인의 출입이 중단되면서 지난 70여 년 동안 서서히 생태가 복원된 곳이다. 강원 철원 DMZ 및 주변 지역의 경우 일제 시대 농경지로 개발되었다가, 한국 전쟁

동안 치열한 고지전이 벌어지면서 마을과 논밭이 완전히 사라졌다. 세월이 흐르면서 과거의 논은 습지로, 마을이 있던 곳은 관목이 무성한 숲으로 변모했다. 전쟁이라는 재난으로 폐허가 된 뒤, 인간의 일상적 활동이 중단되면서 자연이 복원된 DMZ는 체르노빌과 마찬가지로 수동적 재야생화의 모습을 보여준다.

최근의 '4대강 재자연화' 논의 또한 동아시아 발전주의 국가의 맥락 속에서 벌어지는 재야생화와 연결 지어 생각할 수 있다. '4대강 살리기 사업'은 큰 강들을 여러 개의 댐과 보로 막아 거대한 호수로 바꿔냈다. 강물의 흐름이 막히면서 수질이 악화돼 녹조가 두껍게 끼고, 큰빗이끼벌레와 같은 예상하지 못했던 생물이 출현하기도 했다. 4대강의 '자연성'을 회복해야 한다는 지적으로 현 정부가 4대강 재자연화를 받아들이면서, 현재 금강과 영산강의 수문을 개방하고 일부 보를 해체하기로 결정한 상태다. 4대강 재자연화 프로젝트의 단기 목표는 수문 개방, 장기적으로는 댐 해체를 통해 강의 흐름과 생태를 복원하는 것이다. 이때 복원의 참조점은 가깝게는 4대강 사업 이전의 강, 궁극적으로는 산업화 이전의 목가적 강의 모습이다. 이처럼 자연에 설치한 인공적 구조물을 다시 거둬들임으로써 자연 복원을 활성화하는 방식은, 자연의 경제적 생산성을 높이기 위해 강도 높은 기술적, 공학적 개입을 실시해온 동아시아 발전주의 국가에서 활용할 수 있는 특수한 맥락의 재야생화가 될 것이다.

한편, 최근의 논의에서는 일종의 마이크로

자연인 인체의 재야생화가 논의된다. 이때 인체는 독립되고 완결된 하나의 생물이 아니라, 수많은 미생물들이 서식하고 있는 생태계로 이해된다. 미국 국립보건원에서 주관한 '인간-마이크로바이옴*Human-Microbiome*' 프로젝트의 결과, 인체에는 1만 종 이상, 39조 개의 미생물이 서식하는 것으로 나타났다. 한편, 근대 보건과 위생 수칙의 전파는 강도 높은 멸균과 항균 작업을 실시해 신체 내 미생물을 제거하는 결과를 빚었다. 런던 세인트 조지 대학의 전염병 학자 데이비드 스트래천*David Strachan*은 알레르기, 천식, 아토피처럼 빠르게 증가하는 면역성 질환이 지나치게 '깨끗한' 생활 때문에 꼭 필요한 미생물이 부족해 발생하는 것으로 본다.[5] 이같은 자가 면역 질환을 치료하기 위해서는 유익균을 섭취하거나 주입해 신체 내 미생물 다양성을 회복하는 방법들이 시도되고 있다.[6] 미생물 균형이 깨어진 신체에 미생물을 주입함으로써, 미생물의 활동을 통해 신진대사를 활성화하고자 하는 것이다. 대표적인 유익균인 락토 바실리우스 – 유산균 – 를 영양제나 음료의 형태로 섭취하거나 숲놀이 등을 통해 미생물과의 접촉면을 늘리는 것이 대표적인 예다. 또, 자가면역 질환이 심각할 경우 기생충을 직접 몸 안에 심기도 한다. 십이지장충 같은 기생충 알이 들어있는

5. David P. Strachan, "Hay fever, hygiene, and household size," *BMJ: British Medical Journal* 299, No. 6710 (1989): 1259.

6. Jamie Lorimer, *The Probiotic Planet: Using Life to Manage Life* (University of Minnesota Press, 2020).

캡슐을 먹으면, 기생충이 장 내에 수주 간 기생하면서 숙주인 인간의 면역 체계를 변화시킨다. 이처럼 미생물을 '복원의 기술자'로 활용해 훼손된 신체의 면역 체계를 복원하고자 하는 노력은 방목 동물을 이용해 자연의 복원을 활성화고자 하는 재야생화의 전략과 놀랄 만큼 유사하다.

재야생화는 지난 20여 년에 걸쳐 자연 보전의 새로운 전략으로 떠올랐다. 그러나 자연 보전의 주류는 여전히 보호 지역 지정 및 관리이며, 재야생화는 아직까지 일부 실험적 수준에 머무르고 있다. 최근 재야생화에 대한 정책적 관심은 많은 비용과 인력이 필요한 기존의 자연 보전에 비해 재야생화가 상대적으로 '값싼' 전략이기 때문이기도 하다. 재야생화 지역을 곧바로 자연 관광 용도로 활용할 수 있어 지역 주민을 설득하기에도 용이하다. 또, 재야생화가 환기하는 '사자와 늑대가 뛰어노는 자연'에 대한 상상은 자연에 대한 대중적 관심을 불러일으킨다.

그러나 생태학자들은 조심스러운 입장이다. 재야생화 실험들이 실패했기 때문이 아니라, 재야생화가 이뤄진 지난 20~30년으로 그 생태적 결과를 판단하기는 이르기 때문이다.[7] 지금까지 예상하지 못했던 상황이 나타나, 복원이 이뤄지던 자연에 치명적인 타격을 입힐 가능성도 있다. 정책

7. D. Nogues-Bravo, D. Simberloff, C. Rahbek, N. Sanders, "Rewilding is the new Pandora's box in conservation," *Current Biology* 26, No. 3 (2016): R87-R91.

상상하던 미래를 만들어 인간: 재야생화

결정자들은 재야생화 거버넌스의 문제를 지적한다. 재야생화로 야생 동물이 늘어나면서 주민의 안전과 경제 행위를 위협할 수도 있기 때문이다. 야생화된 늑대, 소, 돼지, 말 등이 민가와 가축을 습격하거나 농작물을 훼손할 가능성도 높다. 실제 피레네 산맥 주변에서는 재야생화를 통해 늑대가 등장하면서 인근 목축 농가의 주민과 가축에 새로운 위협이 되고 있다.[8]

침묵의 봄에서 소란한 여름으로

재야생화에 수반되는 생태적, 정책적 한계에도 불구하고 재야생화는 새로운 인간-자연 관계를 상상하고 실천하게 한다는 점에서 의미가 있다. 특히 재야생화가 상정하는 공간, 비인간, 시간성의 개념은 기존의 인간 중심적 자연 보전에서와는 판이하게 다르다.

먼저, 재야생화는 간척지, 숲, 자연 공원, 버려진 산업 단지, 사용하지 않는 농경지처럼 '인간'에 의해 만들어지거나 변형된 '자연' 지역을 대상으로 한다. 이같은 지역은 '인간의 공간'과 '자연의 공간'을 구분하는 기존의 자연-사회 이분법으로는 좀처럼 포착되지 않는 공간이다. 특히 기존 자연 보전이 인간의 손이 닿지 않은 '순수한' 자연 지역에 집중하는

---

8. Henry Buller, "Safe from the wolf: Biosecurity, biodiversity, and competing philosophies of nature," *Environment and Planning* A 40, No. 7 (2008): 1583-1597.

것과 다르다. 또, 기존 보호 지역이 종종 완벽한 공간,
이상적인 자연의 공간으로 여겨지는 것과 달리,
재야생화는 이미 훼손된 지역, 손상된 신체를 대상으로
한다. 이는 최근 인류세 논의에서 지구를 이미 손상된
행성, 폐허, 불타버린 경관*landscape*으로 여기는 것과
맥락을 같이한다.[9]

둘째, 비인간에 관한 부분이다. 재야생화에서
비인간은 자연과 인체의 기능을 회복하기 위한 복원의
'파트너'로 생각된다. OVP 재야생화에서 활용된 소와
말 같은 방목 동물이나 우리가 섭취하는 유산균은
훼손된 자연과 신체를 복원하는 데 결정적 역할을
하는 '생태적 기술자*ecological engineers*'로 활약한다. 이때
비인간은 통제의 대상이 아니며, 인간의 개입은
이들의 생태와 습성을 보다 활성화하는 데 집중된다.
비인간에 대한 이같은 태도는 기존의 자연 보전
논의에서 비인간 동식물이 인간의 경제적 이익과
사회적 안전을 위해 통제되는 대상이었던 것과
대조된다.

셋째, 시간성의 측면에서도 재야생화와 기존의
자연 보전은 차이를 보인다. 재야생화는 과거, 특히
대형 야생 동물이 군림하던 플라이스토세*Pleistocene*
직후에서 영감을 받았지만, 미래 자연의 모습에
대해서도 열린 태도를 보인다. 즉, 재야생화의 결과로
만들어지는 미래 자연의 모습이 반드시 과거와 같을

---

9. Anna Tsing, Heather Swanson, Elaine
    Gan, Nils Bubandt, *Arts of Living on a
    Damaged Planet: Ghosts and monsters of
    the Anthropocene* (University of Minnesota
    Press, 2017).

필요도 없고, 같을 수도 없다는 것이다. 특히 비인간을 복원의 주요한 파트너로 삼으면서, 비인간의 행위를 우리가 통제할 수 없기 때문이다. 이런 측면에서 재야생화는 인간의 손이 닿지 않은 '이상적 과거'를 유지하고 재창조하려는 기존의 자연 보전과 달리, 미래 지향적인 자연 보전의 전략을 보여준다.

재야생화는 이처럼 인간-자연 관계성에 대한 새로운 서사들을 제시한다. 늑대를 재도입해 끊어진 먹이사슬을 잇고, 다양한 생물종들의 번성을 꾀하고, 방목 동물을 재도입해 생태 과정을 활성화하는 노력들은 비인간 존재를 인지하고 이들이 활동할 수 있는 공간을 만듦으로써 가능하다. 이같은 측면에서 재야생화는 인간을 중심에 놓는 근대적 사유와 달리, 인간을 포함한 다양한 생물종의 얽힘과 상호 작용을 강조하는 다종적*multispecies* 사유를 보여준다. 늑대가 사라진 자연, 미생물이 제거된 신체처럼 인간 중심적 사유와 실천으로 만들어진 현재의 모습을 인류세라고 할 때, 비인간의 행위성과 활력을 강조하는 재야생화는 인류세를 넘어서기 위한 하나의 방법이 될 수 있을 것이다.

　　필자는 재야생화가 인류세 안에서 희망을 탐색하는 하나의 지점이 될 수 있다고 본다. 인류세에 대한 기존의 논의는 파국, 멸종, 행성적 위기와 같은 디스토피아적이고 웅장한 수사들로 점철돼 있다. 그러나 인류학자 안나 칭*Anna Tsing*이 지적하듯, '손상된 행성'은 분명 재난이지만, 재난으로 위기에 처하는 것은 우리가 당연하게 여기고 추구해 온 근대적

성장과 발전이다.[10] 인간과 비인간의 삶 그 자체는 재난 이후에도 계속된다. 체르노빌이나, 허리케인 카트리나, 그리고 지금의 코로나19 사례에서 보듯, 폐허 속에서도 야생 동물은 생육하고 번성하며, 삶은 이어지고, 꿈과 희망들은 펼쳐진다. 인류세는 종식과 절멸의 서사만이 아니며, 폐허 속에서 생성되는 '재기*resurgence*'와 '풍성함*abundance*'의 이야기이기도 한 것이다.[11]

  영국의 환경 저널리스트 조지 몽비오*George Monbiot*는 재야생화에 대한 책에서 "20세기의 환경 운동이 침묵의 봄을 예견했다"면, 재야생화는 "소란한 여름의 희망을 이야기한다"고 쓰고 있다.[12] 그는 재야생화를 다양한 생물종들이 따로 또 같이 번성하는 '소란한 여름'에 빗대면서, "가장 중요한 것은 희망을 말한다는 것"이라고 강조하고 있다. 재야생화는 침묵의 봄이 예견한 지구적 생태 위기를 살아가는 우리에게, 인간과 비인간의 협력을 통해 이 폐허를 함께 건너갈 것을 제안하고 있다. 그런 면에서 재야생화는 인류세에 대한 또 다른 우울한 예언이 아니라, 파국 이후에도 계속되는 다종적 삶의 풍성함을 탐색하는 하나의 시도가 될 것이다.

---

10. Anna Lowenhaupt Tsing, *The mushroom at the end of the world: On the possibility of life in capitalist ruins* (Princeton University Press, 2015).

11. Collard Rosemary-Claire, Dempsey Jessica, Sundberg Juanita, "A manifesto for abundant futures," *Annals of the Association of American Geographers* 105, No. 2 (2015): 322-330.

12. 조지 몽비오, 『활생』, 김산하 옮김, 위고, 2020, 38쪽.

부모 예술가를 바

기관 및 레지던시를 위한 안내서

"나이, 인종, 젠더, 독신, 또는
자녀 여부 등의 다양한 정체성의
지지는 차별을 반대하는 것
그 이상을 의미한다.
이는 예술 작품, 예술 공간,
예술 실천이 최대한 풍성해지도록
여러 갈래의 경험, 미세한 차이,
획기적인 변화, 독창성을
포용하는 것이기도 하다.
제도가 현실성을 갖기 위해서는
다양한 예술가와 함께 만들어
나가야 한다."

멜라니 잭슨(Melanie Jackson)

제하지 않는 방법

들어가며:
육아의 책임은 현재 대부분의 경우
엄마들에게 가중되어 있으나,
우리는 이러한 세태가 변화하기를 희망하며
이 안내서에서는 '부모'라는 단어를
사용하고자 한다.

사전 제안:
예술가를 있는 그대로 대한다.

사전 요청:
융통성이 있어야 한다.

작성
Hettie Judah and a group of artist mothers, among them Catherine Kurtz, Cecile Johnson Soliz, Chloe Bonfield, Elsa James, Emma Franks, Emma Hart, Emma Talbot, Eva Rothschild, Gaia Fugazza, Helen Benigson, Holly Blakey, Ingrid Berthon-Moine, Joanne Masding, Kate V. Robertson, Laima Leyton, Laura Ford, Macarena Rojas, Magda Bielesz, Maureen Nathan, Melanie Jackson, Naomi Frears, Rana Begum, Rosalind Faram, Sarah Boulton, and Selina Ogilvy.

번역
예술육아소셜클럽_ 김다은, 민경영, 박주원, 신승주, 이경희, 임유빈, 정유희

1 사회의 조직으로서, 예술가와 그의 가족 모두를 환대한다. 모유 수유를 자연스럽게 받아들인다. 예술가가 부모가 되더라도 연락을 지속한다. 예술이 가족 친화적일 필요는 없지만, 기관은 마땅히 그래야 한다.

2 프로젝트를 시작하기에 앞서 예술가의 가족 상황을 고려하여 실행 기준을 세우고, 예술가가 부모로서의 책임을 다할 수 있는 구조를 마련한다. 예술가가 자녀가 있다는 사실을 타의로 드러내야만 하는 상황을 만들지 않으며, 부모임을 밝혔더라도 전시, 작품 의뢰, 레지던시 기회를 놓칠 거라는 두려움을 느끼게 해서는 안 된다.

3 자녀와 배우자 혹은 아이를 돌봐줄 누군가와 함께 이동해야 하는 예술가에게는 이에 알맞은 편의를 제공하도록 한다.

4 해야 할 일과 그에 따른 일정을 사전에 합의하여 예술가가 계획할 수 있는 충분한 시간을 준다. 글, 강연 등을 막바지에 급하게 요구하지 않는다.

5 예술가의 자녀 돌봄비용에 대한 구체적인 예산 확보를 고려한다. 예술가와 돌봄비용에 대해 가감 없이 의논하고 지원 가능한 범위에 대해 명확히 한다. 지원금 내 자녀 돌봄비용이 예술가의 소득으로 잡혀 과세되지 않도록 하며, 별도의 비용으로 청구할 수 있도록 한다.

www.artist-parents.com

6 부모 예술가도 각종 오프닝이나 연계 행사에 참여할 수 있도록 일정을 계획한다. 아이를 먹이고, 씻기고, 재워야 하는 저녁 시간대를 고수하기보다 한낮의 전시 오프닝도 고려해 볼 수 있다.

7 부모 예술가의 자녀에게 학사 일정 및 방과 후 활동이 있음을 염두에 두어야 한다. 예를 들어, 자녀를 동반해야 하는 예술가에게는 아이의 방학 기간에 전시 준비를 할 수 있는 선택권을 준다.

8 레지던시와 지원금 공모의 나이 제한을 재고 또는 삭제하여 임신, 출산, 육아로 인한 경력단절 예술가도 지원 가능하도록 한다.

9 부모 예술가가 육아와 레지던시 활동을 병행할 수 있도록 상호 간에 협력한다. 예를 들어, 부모 예술가가 본인의 상황에 맞게 레지던시 기간을 조정 가능하도록 하거나, 이동이 어려울 경우 본인 작업실에서의 연구 진행을 지원해주는 방식이 있을 수 있다.

10 이력서 상의 경력 공백을 예술 활동에 전념하지 않았다거나 충분히 노력하지 않은 결과라 판단하지 않는다. 예술가들의 경력은 각기 다르며 여러 가지 이유로 인해 중단될 수 있다. 육아도 그중 하나이다. 갓 졸업한 예술가만이 신진작가는 아니다

부모 예술가를 배제하지 않는 방법

모든 몸을 위한 발레

윤상은

발레에서 한걸음 나왔을 때

'모든 몸을 위한 발레'는 3년 전 내가 발레를 가르치던 시기에 다이어리에 소심하게 적어놨던 기획의 제목이었다. 당시에 성인들을 위한 취미 발레 수업을 하고 있었는데, 호기심이든 운동이든 다이어트든 각자의 니즈를 가진 다양한 분들을 접하는 기회였고 전공생들을 가르치는 것과는 달리 어느 정도 느슨함이

있는 이 수업이 꽤 즐거웠다. 매번 다른 신체를
맞닥뜨리는 경험 속에서 그들을 바라보는 태도에
대한 고민이었을까. '모든 몸을 위한 발레'라는 이름을
지어놓고 그 문구가 들어갈 홍보 전단을 상상했던 나를
돌이켜보면, 지적이 난무했던 나의 발레 수업 경험을
그들에게는 주지 않기 위해 다른 방식을 고민하는
시기였던 것 같다.

　　　하지만 그런 생각을 쉽게 실천하지는 못하고
있었다. 내가 발레를 배워온 방식이 관성처럼
남아있어서였는지도 모르고, 스파르타식 교수법에
끌려 발레 수업을 들으러 온 사람들의 요구가 있었기
때문인지도 모른다. (내가 소리를 지를 때 좋아하던
수강생의 모습이 떠오른다.) 오히려 이후 발레를
가르치는 걸 그만두고 나서야 발레를 '완전히' 다르게
바라볼 수 있었는데, 나와 발레가 직접 연결되지 않았을
때, 특히 내 생계를 보장할 발레 전공자라는 스펙을
더 이상 이용하지 않았을 때 그 시도가 가능했다.
나는 아무리 생각해도 발레의 미적 기준, 서사, 교육
방식 등이 못마땅했고, 내가 그 움직임을 체화하고
수업에서 답습하고 있다는 사실에 적지 않게 마음이
부대꼈다. 이미 대학생 때 "발레 한 걸 후회해요"라는
말을 입에 달고 살 정도로 문제를 체감하고 있었지만
발레 전공자라는 혜택은 한국 어디에나 있었고, 그것을
끊어내기 어려웠던 것이다. 주변에서는 내가 왜 이미
보유한 자격증이나 다름없는 발레를 놔두고 굳이 다른
방식으로 돈을 벌려고 하는지 이해하지 못하기도
했다. 하지만 그 안정감이 가시방석인 시기였다.

Alessandra Ferri and Massimo Murru, La Scala Theatre Ballet (1996)

〈죽는 장면〉, 제3회 페미니즘역극제(1M SPACE, 2020)

〈죽는 장면〉[1]이라는 작업은 그렇게 발레에서 빠져나와 비로소 발레를 다르게 바라보게 된 첫 작업이었다. 어느 날 유튜브 알고리즘이 띄워준 지젤의 매드신*Mad Scene*[2]을 보다가 문득 '발레 작품에서 여자들은 왜 다 죽을까?'라는 질문이 들었고, 이러한 패턴에는 어떤 의미가 있지 않을까 싶었다. 그러다 발레 작품에서 죽는 장면만 모아 따라해봤고 그게 작업이 되었다. 그런데 아이러니한 점은, 죽는 장면의 재연을 통해 발레가 재생산하는 희생적인 여성 이미지를 비판하고자 했던 의도가 무색하게도 혼신의 힘을 다해 죽는 장면을 연기하는 나는 그 순간 철저히 그 여성이 되기를 열망한다는 것이다. 비극적 낭만을 즐기던 내 연애의 기원이 거기에 있진 않을지 의심하게 되는 한편, 작업에는 발레에 대한 거리두기와 가닿기가 공존하는 모순이 생긴다. 그러니 눈치가 빠른 관객들은 이렇게 질문할 수밖에. "그럼에도 불구하고 발레의 어떤 점을 사랑하시나요?"

엇나간 질문을 듣자 오히려 명확해졌다. 발레가 이렇게 엉망진창이라고 해서 내 인생에서 없었던 일처럼 지울 수는 없다는 것, 그 미학을 어떤 부분 열렬히 사랑하고 있다는 것. 이 작업을 끝으로 발레는

---

1. 초연: 공연예술창작산실 창작실험활동(2020년 2월 20일, 문화비축기지T4) / 재연: 제3회 페미니즘연극제(2020년 7월 15일, 1M SPACE)

2. 발레 〈지젤〉에서 시골 처녀 지젤이 사랑하는 남성 알브레이트와의 신분 차이를 알게 된 후 충격에 빠져 정신을 잃고 죽는 장면. 주역 발레리나의 감정 연기가 돋보이는 유명한 장면이다.

내 안에서 끝난 것이라는 내면의 선언과는 다르게 앞으로의 과제가 눈앞에 펼쳐졌다. '그렇다면, 다른 발레를 해라.'

다른 발레를 찾는 여정

2020년 가을 《제로의 예술》 기획과 함께한 〈모든 몸을 위한 발레〉는 그런 의미에서 나의 숨구멍을 틔워준 소중한 작업이었다. 발레가 요구하는 규격화된 여성상이 새로운 시도를 막고 있다면 출발 지점부터 바꿔보자는 의도였다. 60대 이상의 노년의 몸과 함께하는 발레. 그 발레는 이질적인 두 대상의 만남에서 느껴지는 것처럼 어떤 정답을 바라거나 요구할 수 없는 발레였다. '발레'라는 이름을 붙이고 일반적인 발레 클래스처럼 바*barre*와 센터*Centre*를 진행했지만 그 기술들은 어딘가 공허했다. 다리를 뻗어보려고 하지만 뻗어지지 않고, 팔을 높게 들어보려고 하지만 들어지지 않았다. 준비해 간 것의 반도 못 하는 상황에서 나는 여러 번 당황하기도 했다. 하지만 이러한 '할 수 없음'이야말로 다른 무엇보다 몸이 가장 중요한 조건임을 상기시키고 그렇기 때문에 가장 '몸적인' 것이었다. 몸의 결핍과 아픔 때문에 밖으로 향했던 중심을 자기 자신에게로 가져오는 많은 사례들처럼, 발레에서 밖으로만 향하던 시선을 붙잡아 몸으로 돌려놓은 것이다. 수년을 갈고 닦았던 것이 아무 것도 아니게 되는 지점에서 춤의 본질을 봤다고 하면

2020년 10월 29일 〈모든 몸을 위한 발레〉 워크숍

과장일까. 발레는 하나의 양식이지 춤이라고 생각한 적이 없는데, 그 수업에서 그들은 춤을 췄던 것 같다.

'다른 발레'의 가능성을 엿본 〈모든 몸을 위한 발레〉를 시작으로 '발레'라는 소재는 계속해서 나의 흥미를 자극했다. '전생'쯤으로 취급하고 다시는 돌아보지 않으려 했던 것들이 내 삶의 현재 맥락에서 다시 떠오를 때, 어떤 희열감과 함께 계속해서 다음을 생각하게 됐다. 발레가 나에게 더 이상 도달해야 될 목표가 아니라 관찰의 대상인 것도 신기했다. 그렇게 이리저리 궁리를 하던 중 눈길을 끄는 SNS 포스팅을 하나 발견했다. 친하지는 않지만 알고 지내던 발레과 후배의 근황이었다. 그 친구는 영국에서 석사 과정을 밟으면서 제국주의와 근대화의 흐름 속에서 발레가 한국에 들어온 경로를 연구하고 있었고 한국 발레의 비약적인 발전에 의구심을 품고 있었다.[3] 주제 자체도 흥미로웠지만 나와 같은 발레 전공생 중에 발레에 대한 이런 메타적인 해석을 하는 사람이 흔치 않았기에 더 놀라웠다. 철옹성 같은 발레 세계를 뚫고 내부자의 목소리가 하나둘 들려오고 있었던 것이다.

이후 완성된 논문을 읽고 후배와의 만남을 통해서 발레가 서양의 전통 무용이지 우리 고유의 것이 아니라는 너무나 당연한 사실을 상기하게 됐다. 발레는 서구 문화를 세련된 것으로 여기는 한국의 문화

---

3. 손예운, "Migration of the Imperial Ballet: Cultural Valorisation in South Korea(제국 발레의 이주: 한국의 문화 재평가)"(MA in Culture, Policy and Management, City University of London, September 2020).

속에서 엘리트들이 향유하는 고급문화로서 받아들여진 것이고, 애초에 한국 발레의 목표는 누구보다 완벽하게 서구를 '모방'하는 것이었다. 돌이켜보니 나도 1990년대 한국 중산층 가정의 소녀라면 누구나 한 번쯤은 해보듯이 발레를 시작했고 발레를 한다는 사실이 남들과는 다른 무언가로 느껴져 우쭐했을 것이다. 또한 소위 예술 엘리트 코스라고 하는 예중, 예고, 예대 입시를 다른 선택지 없이 따랐다. 학벌이 무엇보다 중요한 한국 사회에서 발레가 위로 올라가는 하나의 수단이었을 수도 있다. 그 시간 안에는 길고 마른 서구의 몸에 가까워지기 위해 시도했던 수많은 다이어트, 서양인들에게서 자주 보이는 과신전 무릎을 만들기 위해 매일 고통스럽게 무릎을 누르던 경험, 유난히 피부가 까만 한 친구를 선생님 여럿이 붙잡고 분을 잔뜩 발라 하얗게 만들던 장면들이 있다. 후배와 대화하며 서로 연신 맞장구를 쳤다. 우리는 이른바 발레 PTSD(외상 후 스트레스 장애)를 겪고 있는 것이고, 거기서부터 더 나아가야 할 지점이 있음을 알았다. 아시아인으로서 발레를 한다는 것. 논문 하나로, 작업 하나로 그치기에는 아직 더 말해야 할 것이 있었다.

　　이후 시작된 리서치에서 나는 다양한 인물들을 만나 인터뷰를 하고 있다. 발레단의 처우에 대한 문제를 토로하는 전문 발레리나, 쉬울 줄 알고 도전한 발레가 너무 어려워서 오기가 났다는 취미 발레인, 발레를 하다가 형편 때문에 그만두고 발레 의상 디자이너를 꿈꾸는 학생 등 다양한 위치에서 바라보는 발레 이야기가 참 흥미롭다. 그런데 한 가지 난감한 지점.

나는 발레의 잔인한 면을 더 드러내고 싶은 마음으로
발레에 대해 비판적인 답변을 유도하는 질문을 하는데,
그들은 고민하다가도 발레에 대한 뼛속 깊은 사랑을
숨기지 못한다는 것이다. 어떤 이는 발레 속 여성이
그려나가는 현실과 타협하지 않는 사랑이 너무나
숭고하다고 하고, 어떤 이는 혹독한 훈련을 거쳐 위대한
몸짓을 만들어내는 강인한 여성들의 집합을 볼 수 있는
몇 안 되는 장르라는 점에서 좋다고 한다. 또 어떤 이는
냉면에 마지막 남겨놓은 편육 한 조각처럼(그 분의
비유다) 발레하는 시간만이 숨 막히는 일상의 유일한
탈출구라는 점에서 발레를 사랑한다고 한다. 지난 작업
〈죽는 장면〉에서 관객들이 나에게 한 질문, "그럼에도
불구하고 발레의 어떤 점을 사랑하시나요?"의
날카로움처럼, 모든 부대낌을 상쇄하고도 남는 발레의
어떤 정수가 있을까 어렴풋이 생각하게 되는 것이다.

'제로'에서부터

나는 지금 광주에 와있다. 〈모든 몸을 위한 발레〉
워크숍에서 찾은 단서를 잊지 못해서, 그리고 작업을
이어나가고자 하는 욕망을 따라서 이곳에 왔다.[4]
아시아 발레의 정체성에 대해 고민하면서 서구의
것을 무비판적으로 수용한 한국 발레와 엘리티즘,
그리고 발레가 기준 삼는 아름다움에 대해서 분석하고
비틀어보고 싶었는데, 광주에서 짧은 시간이지만

---

4. 국립아시아문화전당 아시아무용커뮤니티
안무가랩 레지던시에 참여한다.

실험해볼 수 있는 기회를 마련했다. 기쁘게도 여기서
〈모든 몸을 위한 발레〉에 참여했던 한 분과 재회를 했고
내 작업에 흔쾌히 동참해주셨다. 그래서 이제 막 70대로
접어든 이분과 30대의 나, 그리고 발레를 좋아하는 10대
고등학생, 이렇게 세 사람이 함께 발레를 하고 있다.
어울릴 것 같지 않은 우리 셋은 그날그날 같이 몸을 풀고
간단한 발레 동작을 익히고, 또 음악에 맞춰 즉흥 춤도
춘다. 무대에서 어떻게 보여야 한다는 의식 없이 아직은
즐거운 연습이다. 다양한 연령의 사람들이 함께 발레를
추는 모습에서 내가 보고 싶은 발레의 정수를 찾을 수
있을까. 무언가 발생할 수도 있고 아무 일도 일어나지
않을 수도 있다. 하지만 재미와 호기심을 쫓아 조금씩
건드려보는 중이다.

　　　발레를 붙들고 나아가는 지금의 시간이 내 인생에서
참 의미 있는 시기가 아닐까 생각한다. 《제로의 예술》에
참여하면서 이 기획은 마치 삶과는 무관하다는 듯이
흘러가는 기예의 세계를 다시 행위자의 삶으로 돌려놓는
작업이라고 느꼈다. 나 또한 발레 '테크니션'으로 교육받은
사람으로서 그 안에서 누구보다 빠르게 예술가로서
성숙했지만 그러는 동안 미처 못 돌본 나의 삶에 대해서
언젠가는 들여다봐야 했다. 그러므로 발레와 내 삶을
같은 선상에 두고 치열하게 고민하는 시기라는 점에서,
또 '발레가 좀 그렇지 뭐' 정도로 끝나는 자기 연민에서
벗어나 이 문제를 공공의 영역으로 '발화'하고자 한다는
점에서 의미가 있다.

　　　내 안에서 발레 이야기가 완전히 사라진다면 어떨까
생각해 본다. 파고들 만큼 파고들어서 일단락되거나,
스스로 질려버려서 관둘 수도 있겠다. 하지만 내가 속한

세계를 한번 뒤집어엎어본 이 경험이 내 삶과 작업의
방향을 많이 바꿔놓을 거라는 것은 확신하고 있다.
작업과 삶이 분리되지 않는 무엇이라면, 이 작업은
그동안 어느 자리에서나 불편했던 나를 안전한 곳으로
대피시키는, 다시 말해 지금의 삶을 다음 챕터로
옮기는 하나의 행위일지도 모르겠다. 발레라는 예술이
가진 어떤 위상들, 명예들, 그 안에서 들썩이는 많은
욕망들을 내려놓고 '제로'의 상태에서 시작될 무언가를
기다린다. 그 안에서 다른 삶이 펼쳐지기를.

창살과 영혼

손희정

인간에겐 죽어서 흙으로 돌아간 후에도
영원히 사는 영혼이 있어.
영혼은 깨끗하고 맑은 공기 사이로 떠올라
반짝이는 별들 너머로 간단다.
우리가 수면 위로 떠올라 인간 세계를 바라보듯이
인간들은 우리가 알지 못하는
찬란한 미지의 세계에 오르는 거야.

안데르센, 『인어공주』 중에서

2021년 초, 우리는 충격적인 사진들을 보게 된다. 사진 속에서는 창살 안의 원숭이가 고드름으로 가득 찬 우리에서 먹을 것도 마실 것도 없이 추위에 덜덜 떨고 있었다. 뿐만 아니었다. 배설물로 뒤덮인 우리, 숨이 끊긴 채로 계단 위에 쓰러져 있는 염소, 여물통 위에 둥둥 떠 있는 쥐…. 코로나 팬데믹으로 운영난에 봉착한 한 동물원이 전시 중이던 동물을 그대로 방치한 채 문을 닫은 것이었다. 이 참혹한 현장은 동물원 주변으로 매일 산책을 다니던 동네 주민에 의해 세상에 알려졌다. 사람들은 분노했다. 그러나 거기까지였다. 동물원을 운영하는 '에코테마파크 대구숲' 측에서는 임대 계약한 업체 측의 잘못이라고 서둘러 발표했고, 이어서 회사가 동네 주민을 고소할 예정이라는 소식이 들려왔다. 사유지 무단 침입이 이유였다. '에코'나 '숲' 같은 초록빛의 말들로 예쁘게 포장을 한다고 한들 생명을 돈벌이의 수단으로 삼는 창살의 잔인한 속성은 쉽게 지워지지 않는다.

　　생명은 물론이거니와 영혼까지 모두 쓸려나간 폐허 앞에서 문득 리차드 파커*Richard Parker*가 떠올랐다. 어렸을 때 사냥꾼에게 포획되어 동물원에 갇혔고, 한 인간과 짧지 않은 시간을 바다에서 표류했으며, 결국엔 멕시코만 근처의 어느 숲에선가 호랑이의 방식대로 조용히 죽음을 맞이했을 그. 리차드 파커는 창살과 영혼이 맺고 있는 관계에 대한 뛰어난 코멘트인 〈라이프 오브 파이*Life of Pi*〉(2012)의 벵골호랑이다.

생명을 가두어 볼거리로 만드는 창살의 역사

리안李安 감독의 〈라이프 오브 파이〉는 주인공 파이가
캐나다의 한 백인 소설가에게 자신의 이야기를
들려주는 장면에서 시작된다. 어린 시절을 프랑스령
인도 퐁디셰리에서 보낸 파이는 "동물원에서 태어나,
동물원에서 자랐다." 파이는 어려서부터 영성을
추구하고 영혼의 존재를 믿었다. 그는 힌두교의 여러
신에게 의지하면서도, 인간을 위해 자신을 희생했던
예수를 극진히 사랑했고, 이슬람 경전의 가르침에
따라 기도했다. 여러 종교를 여행하면서 파이가
구하고자 했던 건 근대적 지식 체계를 넘어서는 우주의
진리였다. 반면 계몽주의자인 아버지는 '전통적인
인도'와 결별하고 근대화된 삶을 추구하면서 파이를
한심스럽게 여긴다. 아버지는 말한다. "종교는
암흑darkness이다. 이성을 믿어라." 이런 아버지가 동물을
탐구와 유희의 대상으로 삼는 동물원을 운영하는 것은
의미심장하다.

　진귀한 동물을 물건처럼 모아다가 가둬놓고
즐기는 이 '지극히 인간적인 활동'은 역사가 유구하다.
이미 고대 바빌로니아, 중국, 그리스 등에서 동물 수집
문화를 발견할 수 있다. 침탈을 통해 손에 넣은 물건을
전시하는 권력자들의 과시성 컬렉션은 중세 유럽의
미네저리menagerie로 이어졌다. 왕족과 귀족들만의
공간이었던 미네저리는 동물원 주인의 부와 권세,
그리고 식민지 정복의 위대한 증거였다. 시간이 흘러
미네저리는 점차 '근대적 동물공원'으로 바뀌어간다.

이 시기 동물원은 근대화가 열어준 평등한 공간의 상징이 되었다. 예컨대 세계 최초로 대중에게 개방된 동물원인 런던동물원은 소수 엘리트들이 독점하고 있던 동물 연구를 대중을 위한 교육과 체험의 장으로 확장시켰고, 프랑스의 왕실 정원은 프랑스 대혁명을 거치면서 시민들을 위한 휴식처인 파리식물원으로 재탄생했다.[1] 서구의 근대인들이 '미네저리'와 '동물공원'을 명확하게 구분하고자 했던 건 이 때문이다. 전자는 과시용 동물 수집을 "멸시적으로 묘사하는 용어"였다면, 후자는 "과학 연구와 공공 교육의 특전이 있는 장소"로 받아들여졌다.[2]

그렇다고 해서 동물원이 세운 창살의 약탈적 성격이 달라지는 건 아니었다. 동물원에는 북반구 유럽에서는 볼 수 없었던 아프리카나 아시아에서 태어난 동물들이 모여있었다. 그들은 자신의 대륙으로부터 뿌리가 뽑힌 채로 낯선 공기가 흐르는 낯선 땅으로 끌려왔다. 그리고 서구인의 관점에 따라 질서정연하게 배치되고 서사화되었다.[3] 무엇보다

---

1. 나디아 허(Nadia Ho), 『동물원 기행』, 남혜선 옮김, 어크로스, 2016.

2. 니겔 로스펠스(Nigel Rothfels), 『동물원의 탄생』, 이한중 옮김, 지호, 2003, 41쪽.

3. 전시 동물의 배치 방식은 동물통계학, 동물지리학, 동물행동학, 생물기후학, 그리고 인기도에 따른 배치로 나뉜다. 각각의 기준은 관람객의 이해를 높이고 동물 관리를 용이하게 하며 수익에 도움이 되는 방식 등을 따른다. (박훈, 「심양동물원을 중심으로 하는 동물원의 설계전략 연구」, 『예술인문사회 융합 멀티미디어 논문지』, vol.6, no.10, 통권 24호, 2016, 477–487쪽.) 이 중에서 동물지리학의 경우에는 세계의 광역적 지리 구분에 의하여 분류하는 방식으로 "동양, 아프리카, 남미, 오스트레일리아" 등으로 구분한다. 유럽 중심적인 지리학이 작동하는 셈이다.

동물원이 자랑하는 방대한 동식물 수집 목록의
이면에는 세계에 대한 지식을 손에 쥐겠다는 좀 더
근원적인 목표가 놓여있었다. 1847년에 영국에서 처음
등장한 '쥬^{zoo}(동물원)'란 명칭은 동물학 공원^{zoological}
^{garden}의 준말이었다. 서구인들이 동물의 존재를
'문명'의 반대편인 '자연'으로 치환해버린 계몽주의
시대, 동물원의 구성 원리인 '동물학'은 이들에 대한
정복과 지배를 가능하게 하는 필수적인 무기이기도
했다. 이렇듯 지금과 같은 형식의 동물원은 인류학,
박물관의 탄생과 함께 도래했다. 19세기에 동물원은
세 가지 성격이 중첩된 장소가 되었다. 학자들을 위한
학술적 공간이자, 진귀한 야생동물을 진열하는 전시의
공간이면서, 관람객들이 가볍게 즐기며 배울 수 있는
오락의 공간이 된 것이다.[4]

동물원은 문명/자연, 인간/동물, 이성/감성,
과학/미신, 제국/식민지, 남성/여성, 빛/암흑 등 서구
근대 철학이 만들어낸 다양한 이분법 속에서 식민지와
자연, 동물, 여성, 암흑을 동일시하여 대상화하는
과정과 함께 도시 공간에 자리잡기 시작했다.
('구대륙'인들에게 선주민들이 멀쩡히 살고 있었던
'신대륙'은 '처녀지'로서 정복의 대상이 되었고, 이때
계몽주의자들은 '미개인'들에게 문명을 전파하고
암흑의 땅에 빛을 내리는 일을 소명으로 여겼다.) 이런
서구식 이분법은 동물원 공간을 형성하는 데 영향을
미쳤고, 동물원은 또 다시 이런 인식론을 조형하는

---

4. 이재원, 「식민주의와 '인간 동물원(Human Zoo)」
   – '호텐토트의 비너스'에서 '파리의 식인종'까지」,
   『서양사론』 제 106호, 2010, 13쪽.

데 기여했다. 그런데 여기에는 또 하나의 이분법이
놓여있었다. 바로 영혼과 육체를 나누는 이분법이다.
유럽인들이 보기에 이 낯선 동물들에게는 아름다운
육체는 있으되 영혼은 결여되어 있었고, 그 육체를
보고 뜯고 즐기는 인간들에게는 불사의 영혼이
있어 역사라는 이름의 성운을 이루었다. 그러므로
인간이야말로 "땅을 정복하고 모든 생물을 다스릴"[5]수
있는 만물의 영장이었다.

    하지만 정말일까? 정말 영혼은 인간만의
몫이었을까? 파이의 아버지는 근대 과학이 동물에
대한 지식을 탐하듯이 육고기를 탐한다. 하지만 파이는
육식을 하지 않는다. 모든 동물에게 영혼이 있다고 믿기
때문이다.

"동물에게도 영혼이 있어요"

진리를 구하는 자 파이가 리차드 파커와 처음
만난 건 아버지의 동물원에서였다. 리차드 파커는
어렸을 때 냇가에서 목을 축이다가 '리차드
파커'라는 이름의 사냥꾼에게 포획되었다. 목이 마른
상태에서 붙잡혔다고 해서 그에게 붙여진 이름은
'써스티*thirsty*(목마름)'였다. 재미있는 건 이름이 바뀌게

---

5. 창세기 1장 28절의 말이다. "하나님이 그들에게
   복을 주시며 그들에게 이르시되 생육하고
   번성하여 땅에 충만하라, 땅을 정복하라, 바다의
   고기와 공중의 새와 땅에 움직이는 모든 생물을
   다스리라 하시니라."

된 사연이다. 사냥꾼 리차드 파커는 써스티를 동물원에 팔아넘기면서 서류를 잘못 작성한다. 판매자의 이름에 써스티를, 호랑이의 이름에 리차드 파커를 써넣은 것이다. 인간의 이름을 가진 동물과 원주율을 나타내는 부호의 이름을 가진 인간의 만남은 그렇게 이뤄진다.

어린 파이는 아름다운 호랑이 리차드 파커와 친구가 되고 싶었다. "리차드 파커는 짐승이다. 너의 친구가 아니다." 아버지가 파이에게 말하지만 받아들이지 않는다. "하지만 동물들에게도 영혼이 있는데요!" 고집을 피우는 그에게 아버지는 절대로 잊을 수 없는 교훈을 남긴다. 파이의 눈앞에서 리차드 파커가 산양을 사냥해서 잡아먹는 모습을 있는 그대로 보여준 것이다. 육식을 하는 인간이 호랑이의 육식을 '영혼 없음'의 근거로 삼는다는 것은 흥미로운 일이다. 어쨌거나 이 경험으로 파이는 우주의 신비와 위대한 영혼에 대한 흥미를 잃어버린다.

시간이 흘러 파이가 청년이 되었을 무렵, 인도에는 더 이상 미래가 없다고 생각한 아버지는 두 아들을 위해 캐나다 이민을 결정한다. 아버지는 꿈에 부풀어 중얼거린다. "콜럼버스처럼 우리도 항해를 하는 거다." 파이는 응수한다. "콜럼버스는 인도를 향해 온 걸요." 파이의 반대에도 불구하고 가족은 동물들과 함께 일본 국적의 화물선에 오른다. 하지만 거대한 화물선은 태풍을 만나 침몰하고, 운 좋게 구명보트에 올라탈 수 있었던 다섯 생명체만이 살아남는다. 파이, 다리를 다친 얼룩말, 오렌지주스라는 이름의 오랑우탄, 굶주린 하이에나, 그리고 리차드 파커였다. 극한 상황에 내몰린

〈라이프 오브 파이〉 스틸 이미지

동물들은 서로를 공격하다 모두 죽음을 맞이하고, 결국 파이와 리차드 파커 둘만 남는다. 이후로 277일, "굶주린 육식동물"과 "깡마른 채식주의자 소년"은 적당한 거리를 유지하면서 함께 바다 위를 떠다니게 된다. 긴 표류 끝에 드디어 멕시코만에 도착했을 때, 육지에 올라선 리차드 파커는 뒤 한번 돌아보지 않고 표표히 떠나가고 파이는 서운함에 울음을 터트리고 만다. 그리고 인정한다. "아버지가 옳았다. 리차드 파커와 나는 친구가 아니었다."

　　　멕시코만에서 구출된 지 며칠 후, 일본인 조사관들이 파이를 찾아온다. 그들은 침몰한 화물선에 얽혀있는 보험 문제를 처리해야 하는 사람들이다. 도대체 그날 밤 화물선에서 무슨 일이 벌어졌는지 묻는 그들에게 파이는 리차드 파커와의 표류에 대해 이야기한다. 숫자로 정산 가능한 '사실'을 원하는 그들은 파이의 말을 믿지 않았다. "당시 상황을 아는 건 당신뿐이고, 우리는 당신의 이야기를 듣기 위해 굉장히 먼 길을 왔다. 제발 사실을 말해달라." 오랫동안 침묵하던 파이는 다시 입을 연다. 처음 함께 살아남았던 오랑우탄은 어머니였고, 코요테는 폭력적인 주방장이었으며, 얼룩말은 불교도 선원이다. 그리고 리차드 파커는 나였다. 조사원들은 그제야 파이의 이야기를 믿는다. 어떤 관객들은 이 장면에서 무릎을 치며 어쩐지 안도감을 느꼈을지도 모른다. "그렇지, 역시 파이의 이야기는 우화였던 거지."

　　　보통의 인간은 비인간 동물을 그 자체로 받아들이지 못한다. 인간사를 경유할 때에야 동물의 행동을 해석할 수 있게 되는 것이다. 마찬가지로 동물을 경유해서 인간의 일을 이해하고자 하는 욕망 역시 강하다. 때문에 인격화한 동식물을 통해 풍자와 교훈을 전달하는 이야기인 우화가 그토록 인기를 끄는 것이다. 루시 쿡*Lucy Cooke*은 이를 "동물을 인간과 동일시하려는 충동"이라고 말하고, 이런 태도가 동물에 대한 수많은 오해를 만들어낸다고 지적한다.[6] 이런 충동이 사고의 습관이 되고, 습관은 관습을 만든다. 관습은 우리의 상상력이 흐르는 길을 닦아, 비인간 동물 안에서 어떻게든 인간성을 보려고 하거나, 혹은 그 동물의 이야기가 인간사를 빗댄 우화일 때에야 비로소 믿을 수 있다고 생각한다.

그렇다면 파이의 이야기는 어떨까? 어떤 이들은 이 이야기에서 리차드 파커를 기어이 파이 본인으로 해석함으로써 비인간 동물의 이야기를 또다시 인간에 대한 이야기로 전유하고, "내 안의 호랑이를 길들이는 법"과 같은 자기계발 서사를 쓰고 읽는다. 하지만 그런 '오래된 충동'과 결별하지 못한다면 우리는 중요한 성찰의 기회를 잃을지도 모른다.

우리는 모두 각자의 모습으로, 인간

영화의 가장 신비로운 순간은 떠다니는 식인섬과 함께 등장한다. 구사일생의 상황을 여러 번 넘기고 이제는

---

6 . 루시 쿡, 『오해의 동물원』, 조은영 옮김, 곰출판, 2018.

꼼짝없이 죽겠구나 싶은 마음으로 바다를 떠다니던 파이와 리차드 파커는 기적처럼 어떤 섬에 다다른다. 담수와 먹을 것이 풍부한, 미어캣들의 섬. 파이와 리차드 파커가 각자 풍족한 식사 시간을 즐기고 난 뒤, 평화로운 밤이 찾아온다. 리차드 파커는 서둘러 배로 돌아가고, 파이는 별 생각 없이 나무 위에 잠자리를 마련한다.

쉬이 잠들지 못하고 뒤척이던 파이는 나무 위에 핀 연꽃을 발견하고 경이로움에 사로잡힌다. 과거 인도에서 만나 사랑을 나누었던 연인이 신을 찬양하며 추던 춤에서 등장한 '숲 속의 연꽃', 세계의 비밀을 담고 있는 연꽃을 외딴 섬에서 만나게 된 것이다. 조심스럽게 연꽃잎을 들춰본 파이가 그 안에서 발견한 건 인간의 치아였다. 그는 그제야 깨닫는다. 해가 빛나는 동안에는 생명을 나눠주었던 섬이, 밤에는 인간을 잡아먹어 소화시켜버리는 식인섬이라는 사실을. 다음날 아침 파이는 서둘러 섬을 떠난다. 그리고 드러난 섬의 모습. 인간의 형상을 한 섬은 바다 위에 고요히 떠있고, 파이가 수영을 했던 담수 연못은 밤에는 산성으로 변하는 섬의 위장胃腸이다. 파이의 이야기에선 비인간 동물뿐만 아니라 거대한 섬 역시 육체와 영혼을 가지고 있다. 그리고 그 섬은 인간을 먹이고, 또 인간을 먹는다. 오랜 세월 인간은 자연을 '대지의 어머니'라고 부르며 '아낌없이 주는 모성'이라는 판타지를 변하지 않는 자연의 본성으로 만들었다. 우리가 살아온 세계에는 이런 '마더 네이처Mother Nature'에 대한 이야기가 넘쳐난다. 하지만 파이가 그린 세계에서 여성 인간의

모습을 한 땅은 관대하지도 온화하지도 않다. 땅은 베푼
만큼 돌려받는다.

　　과연 비인간 존재에게도 '21그램'[7]의 영혼이
있을까? 안데르센*Hans Christian Andersen*은 영혼을 말하는
동화 〈인어공주〉에서 오직 인간에게만 영혼이 있어
홀로 찬란한 미지의 세계로 오를 수 있다고 썼다.
그러나 안데르센의 아름다운 묘사와 달리 영혼이
인간의 전유물이라는 믿음은 끔찍한 동물 착취를
정당화하는 구실이 되었다. 흥미롭게도 이 착취의
구조 안에서 북반구인들에 의해 끊임없이 '자연-
동물'로 치환되었던 남반구의 아메리칸 원주민들은
다른 생각을 가지고 있었다. 그들은 비인간 동물은
물론 죽은 자의 유령에게도 영혼이 깃들어 있다고
믿었다. 브라질 아마존 북동부 선주민들을 연구한

---

7. 1907년 미국의 의사 던칸 맥두걸(Duncan
　　MacDougall)이 영혼의 무게를 측정한 결과를
　　『American Medicine』에 발표했다. 맥두걸은
　　여섯 명의 환자를 대상으로 진행된 실험에서
　　환자가 사망하기 직전과 직후의 체중을 잰
　　뒤 영혼의 무게는 21그램이라고 결론 내렸다.
　　이와 함께, 열다섯 명의 개를 대상으로 실험을
　　했을 때는 체중이 전혀 줄지 않았으며 이는
　　"인간에게만 영혼이 있기 때문"이라고 주장했다.
　　실험 방법의 적절성은 차치하고라도, 이것이
　　과학적 결과라고 하기에는 실험 대상의 수가 너무
　　부족한 데다 그중 두 명은 실험 오류로 결과에서
　　제외되었다고 한다. 이후 완전히 잊혀졌던
　　맥두걸의 실험은 2003년 알레한드로 곤잘레스
　　이냐리투(Alejandro González Iñárritu)의
　　영화 〈21그램〉으로 되살아났다. 그리고 이제
　　21그램설은 '과학적 사실'이라기보다는 '시적
　　상상력'으로 남았다.

인류학자 에두아르두 비베이루스 지 가스뜨루*Eduardo Viveriros de Castro*는 아마존인의 이런 세계관을 '관점주의*perspectivism*'라고 불렀다.

　　지 가스뜨루를 사로잡았던 건 클로드 레비 스트로스*Claude Lévi-Strauss*가 엔틸리스 제도에서 관찰한 모습이었다. 레비 스트로스에 따르면 (인도로 향해 가다가 실수로) 아메리카를 발견한 후 스페인인들은 엔틸리스 제도의 선주민들에게도 영혼이 있는지 탐구했다. 그들이 사람인지, 그들에게 신의 뜻을 가르칠 수 있는지, 그들 역시 신에게 구원받을 수 있을지를 파악하고 싶었던 것이다. 이렇게 유럽인들이 타자에게도 영혼이 있는지를 질문하는 동안 엔틸리스 제도의 선주민들은 전쟁 중에 포획한 백인 포로들을 물에 빠뜨려 백인의 시체도 썩는지를 관찰했다. 여기에서 흥미로운 차이점이 발견된다. 유럽인들은 '영혼'을 인간과 비인간을 나누는 기준으로 삼았다면, 아메리카 선주민들에게 그 기준은 '신체'였던 것이다.[8] 그들은 비인간 존재에게도 영혼이 있다고 믿었으므로 영혼의 유무는 질문거리가 아니었다. 다만 최근에 나타난 피부가 허여멀건한 타자가 인간의 신체를 가지고 있는가는 확인할 필요가 있었다.

　　선주민들은 영혼을 가진 동물과 정신들이 우리-인간을 비인간으로 보고, 그들 자신과 각자의 동종집단을 인간으로 인식한다고 믿었다. 영혼을 가진

---

8. 지 가스뜨루, 『식인의 형이상학: 탈구조적 인류학의 흐름들』, 박이대승·박수경 옮김, 후마니타스, 2018, 31-34쪽.

존재들은 스스로를 "인격*personne*처럼" 보기 때문에 그들 역시 당연히 인격이다. 따라서 그들은 자신의 털을 인간이 옷과 도구를 인식하는 것처럼 인식한다. 재규어 같은 육식동물에게 피는 (은유가 아니라 있는 그대로) 맥주이고, 콘도르에게 썩은 고기의 구더기는 구운 생선이다. 지 가스뚜르는 이런 태도가 "기이한 관대함"을 바탕으로 한다고 설명한다. 아마존인들은 "가장 [인간적이지] 않을 것 같은 형식 아래 감추어진 인간을 바라보게 되고, 혹은 심지어 가장 [인간적이지] 않을 것 같은 존재자들도 자신을 인간처럼 볼 능력이 있다고 긍정하게 된다"는 것이다.[9] 서구식 세계관에 길들여져있는 우리에겐 이런 "관대함"이 없다. 그러다 보니 비인간이 그들 자신을 "인간처럼 본다"는 말이 아무래도 이해가 되지 않는다. 이때 애니메이션 〈약속의 네버랜드〉(2020)는 우리가 봉착하게 된 인식론적 난제, 혹은 난망함을 해소하는 데 도움을 준다.

〈약속의 네버랜드〉는 보육원 형태의 농장에서 '인육人肉'이 될 아이들을 축산하는 세계를 배경으로 한다. 식용으로 길러지는 (귀엽고 사랑스럽고 똑똑하며 무엇보다도 '인간적인') 아이들에게 잠재적인 포식자들은 식인 괴물로 비춰진다. 우리는 이 작품이 인간의 육식 문화에 대한 비판적 코멘트라고 해석하고 주인공인 '아이들'을 소나 돼지와 같은 '가축'에 대한 은유로 읽는다. 하지만 그것이 은유가 아니라면? 그

---

9. 지 가스뚜르, 위의 책, 40-48쪽.

이미지와 서사가 인간에게 '가축'이라 불리는 비인간 동물의 인식 세계 그 자체를 외화한 것이라면? 아마존 선주민이 서사화하고 이미지화한 "달과 뱀과 재규어와 천연두 할멈"[10]의 세계란 그런 세계였을 터다.

이것이 어쩌면 〈라이프 오브 파이〉에서 호랑이는 인간의 이름을, 인간은 수학적 진리의 이름을 가진 이유였을지도 모른다. "모든 동물에게는 영혼이 있다"는 파이의 믿음과 "호랑이는 너의 친구가 아니다"라는 아버지의 교훈이 만난 자리에서 우리는 모든 생명은 각자의 방식으로 영혼을 가지고 있다는 깨달음을 얻는다. 그렇게 〈라이프 오브 파이〉는 계몽주의와 제국주의 시대에 성립한 근대적 동물원의 세계관이 굴절시킨 인간과 자연 사이의 관계에 다르게 접근할 수 있는 새로운 상상력의 경로를 만들어낸다. 사실 중요한 건 영혼이 있느냐 없느냐의 문제는 아니다. 맥두걸의 '21그램설'이 역설적으로 보여주는 것처럼, 어떤 방법으로도 인간 영혼의 존재 여부는 판명될 수 없을 테니까. 그보다 '나만이 고결한 영혼을 가지고 있다'는 인간의 나르시시즘이 세계를 어떻게 폐허로 만들고 있는가를 돌아보는 일이 더 중요할 것이다. 그것이 '영혼'이라는 찬란한 말의 효용이다.

---

10. 지 가스뜨루는 게르하르트 바에르(Gerhard Baer)가 아마존 지역의 마치겡가인에 대해 한 말을 인용하고 있다. "인간 존재는 자기 자신을 인간으로 본다. 그렇지만 달, 뱀, 재규어, 천연두 할멈은 인간을 자기들이 죽이는 맥(貘)이나 페커리처럼 본다." (지 가스뜨루, 위의 책, 43쪽.)

이제 다시 '창살의 세계'로 돌아와서 마무리를 해야 할 것 같다. 과시의 컬렉션으로부터 시작된 동물원은 점차 시민들의 평등한 공간으로 거듭났지만, 그 역시 동물에 대한 대상화로부터 자유롭지는 않았다. 이제 비판적인 성찰의 시간을 지나 동물원은 동물에게 호의적이지 않은 현재의 자연-문명 환경 속에서 비인간 동물종을 보호하는 대안적 공간으로 받아들여지고 있다.

이런 동물원의 변천사에서 중요하게 기록되어 있는 인물은 칼 하겐베크*Carl Hagenbeck*, 바로 '하겐베크 혁명'의 주인공이다.[11] 19세기 중반, 칼 하겐베크의 아버지는 생선가게 주인이었다. 물살이[12]들을 사고파는 과정에서 그는 진기한 동물들 역시 사고팔기 시작했다. 1차 세계대전이 일어날 즈음, 하겐베크가家의 부차적인 사업은 거대 사업으로 성장했다. 모든 주요 동물공원이나 서커스, 개인 수집가들이 하겐베크의 회사에서 동물을 구입했다. 이 회사는 1874년부터 동물 외에 '토착민'(그렇다, 인간 동물이다)을 조달하기 시작했고, 1880년대 후반에는 동물쇼를 선보였다.

11. 이후 하겐베크에 대한 기술은 니겔 로스펠스(Nigel Rothfels)가 쓴 『동물원의 탄생』의 내용에서 참고했다.

12. 피터 싱어(Peter Singer)의 『왜 비건인가』를 한국어로 옮긴 번역자들은 "살아 숨 쉬는 동물을 '고기'로 부르는 종차별을 지양하기 위해 'fish'를 '어류' 또는 '물살이'로 번역한다"고 밝힌다. (피터 싱어, 『왜 비건인가』, 전범선·홍성환 옮김, 두루미출판사, 2021, 8쪽).

하겐베크는 인간을 비인간 동물처럼 볼거리로 전시하는 한편 비인간 동물은 인간처럼 행동하도록 훈련시켰다. 이런 기묘한 전도 속에서 하겐베크는 엄청난 돈을 긁어모았다.

초창기 하겐베크와 함께 일했던 사냥꾼들과 밀렵꾼들은 19세기 말까지만 해도 자신이 얼마나 용맹하며 그 '원시적'인 동물들을 피도 눈물도 없이 난도질할 수 있는지 자랑했다. 그러나 점차 그런 밀렵 행위가 '유럽 시민'들의 비난을 받게 되고, 사냥꾼들 내에서도 납치당하고 살육당하는 동물의 관점에서 상황을 바라보는 이들이 등장하게 된다. 하겐베크 역시 이에 발맞춰 회사 이미지 관리에 들어간다. 그러면서 20세기 초반 '하겐베크 혁명'이 일어난다. 하겐베크 혁명은 일종의 그린워싱이기도 했는데, '덕분에' 납치당한 동물들이 창살 우리에서 벗어나 '자연에 가까운' 울타리 안에서 살 수 있게 되었다. 1907년 창살을 없애고 하얀 피부의 인간 동물이 검은 피부의 인간 동물 및 각종 비인간 동물들을 구경하기 쉽도록 만든 '해자'가 등장했고, 이는 이후의 동물원과 민속촌 디자인에 큰 영향을 미쳤다.

20세기 중반이 되면 전지구적으로 생태계를 교란시킨 과도한 밀렵에 대한 비판의 목소리가 등장하고, 야생동물과 식물 거래를 규제하는 국제협약이 만들어진다. 1973년 세계보존연맹이 주최한 회의에서 21개 국가는 '멸종위기에 처한 야생동식물의 국제거래에 관한 협약CITES'에 서명한다. 그리고 이 목록에 올라간 야생동물의 수출과 수입이

Carl Hagenbeck's Tierpark Stellingen-Hamburg. Panorama.

하겐베크의 동물원이 그려진 1900년대 엽서

규제되었다. 이와 함께 '동물원의 번식 프로그램'이
시작된다. 새로운 동물을 포획할 수도 구매할 수도
없게 된 동물원의 입장에서 동물원을 유지하기 위한
유일한 방책이었던 셈이다. 그리하여 동물원을 위한
새로운 변명거리가 만들어졌다. "동물원은 동물종을
보호한다"는 말이었다. 이제 우리는 "동물원이야말로
야생에서 위협받고 있는 종들을 위한 마지막
피난처"라는 말을 심심치 않게 들을 수 있다.

그러나 동물원의 점진적인 폐지를 주장하는
이들은 번식 프로그램이란 동물원에서 전시할 동물을
얻기 위한 방편일 뿐 실제로 자연으로 돌아간 종은
매우 소수라고 강조한다. 로브 레이들로*Rob Laidlaw*에
따르면 이런 프로젝트를 통해 실제로 자연으로 돌아갈
수 있는 종은 조류 정도뿐이다. 인간 동물에게 가장
인기 있는 북극곰, 코끼리, 고래, 유인원은 동물원
생활에 특히 더 맞지 않는다. 살아가는 데 광대한
공간이 필요하기 때문이다. 그럼에도 불구하고
이미 우리 인간이 동물원을 자연 문화의 일부로
만들어버렸기 때문에 동물원 자체를 폐기하는 것이
요원한 임무라면, 우리는 전문가들이 제안하듯이
동물원의 동물들이 다음의 다섯 가지 자유를 누릴
수 있도록 노력해야 한다. 하나, 목마름, 배고픔,
영상실조로부터의 자유. 둘, 불편함으로부터의
자유. 셋, 고통, 부상, 질병으로부터의 자유. 넷,
정상적인 행동을 표현할 수 있는 자유. 다섯, 공포와
고통으로부터의 자유. 이는 우리가 동물의 역능을
믿으면서, 인간과 동물의 협업을 통해 자연-문명

안에 형성할 수 있는 새로운 피난처로서 동물원을 만들어가기 위한 최소한의 조건이다.

비인간 동물을 과도하게 착취하는 인간 동물의 식문화가 초래한 코로나 팬데믹을 지나면서, 우리는 인간의 오만함이 스스로의 멸종을 앞당기고 있다는 사실을 뒤늦게 배우고 있다. 하지만 인간은 망각의 동물이라 깨달음을 너무나 빠르게 잊는다. 깨닫고, 잊고, 깨닫고, 잊고를 반복하기엔 시간이 얼마 남지 않았다. 영혼을 갉아먹는 창살을 녹이기 위해 우리가 오래전에 잃어버렸거나 충분히 가져본 적 없는 "기이한 관대함"을 새롭게 배워야 할 때인 것 같다.

셀카의 기술

고아침

2021년 초, 청소년을 대상으로 〈셀카의 기술〉이라는
워크숍을 네 차례 진행했다.

워크숍을 준비하면서 영국 팝 가수 찰리 XCX*Charli*
*XCX*의 2020년 앨범 《How I'm Feeling Now》를
반복해서 들었다. 코로나19로 인한 락다운 상황에서
가수가 팬들과 온라인으로 교감하며 DIY 형식으로
제작한 앨범이다. 첫 싱글인 〈forever〉의 뮤직비디오는

가수의 셀카 영상과 더불어 팬들이 찍어보낸 많은
영상을 빠른 호흡으로 교차 편집한 결과물로, 찰리
XCX는 팬들이 보낸 영상에 그들이 영원히 간직하고자
하는 순간/사람/장소/사물이 담겨있다고 소개한
바 있다. 노래 도입부에서 눈에 띄는 것은 거울
앞에서 스마트폰으로 찍은 일련의 컷으로, 이 영상이
카메라를 손에 쥔 여러 사람들의 참여로 만들어졌음을
시각적으로 보여준다. 화질, 인물, 배경이 달라지면서도
비슷한 활동, 구도, 움직임을 담은 장면들이 연이어
나오게끔 편집된 이 뮤직비디오를 처음 보았을 때,
다양한 삶을 살아가는 모래알처럼 숱한 이들이 삶의
한 순간을 기록하기 위해 스마트폰을 쥐고 카메라
렌즈를 어딘가로 향하는 똑같은 동작을 취하는 모습을
상상했다. 독립된 행동으로 존재했을 여러 순간들을
한데 모아 '우리'로 표현한 이 뮤직비디오는 〈셀카의
기술〉 워크숍의 정서적 배경이 되었다.

  〈셀카의 기술〉 워크숍에서는 다음과 같은 활동을
진행했다. 본인이 촬영한 셀카 공유하기(사진을 직접
보여주지 않은 채로, 사진의 구성 요소나 찍을 때의
상황 및 목적을 구술하기), 셀카 앱이나 셀카 필터를
관찰/기록/평가하기, 셀카 필터를 직접 만드는 데
사용할 수 있는 도구 살펴보기, 필터 및 스티커에
사용되는 안면인식 기술의 원리 알아보기, 그리고
'셀카의 자기기록'이라는 독립연구활동.

  내가 통상적으로 진행하는 기술 관련 워크숍은
공학 분야에서 활동하지 않는 이들 중 해당 주제 또는
키워드에 관심을 가진 참여자를 만나 기술적 개념을

전달하거나 도구를 실습하는 방식으로 이루어지곤
한다. 하지만 이 워크숍은 '10대 기술 말하기'라는 행사
안에서 진행되는 것이었다. 이런 식의 지식 전달은
핵심과 거리가 있고, 오히려 워크숍에 참여하는
데 불필요한 장벽이 될 수 있어 보였다. 더구나
프로그래밍을 다루거나 특정 기술 개념을 자세히
설명할 경우 참여자의 배경 지식에 따라 경험의 질이
크게 달라지곤 하는데, 이 행사에서는 가능한 한
기술적 장벽을 없애고 싶었다. 대신, 기술이라는 것에
대해 어떻게 말하고 생각해야 할지 이야기하고자
했다. 즉 여기서 말하는 기술은 도구와 지식으로서의
기술보다 사유와 관찰의 대상으로서의 기술에 가깝다.

　　　기술의 의미를 생각하고 자신과 기술이 맺고 있는
관계를 살펴보는 것이 목적이라는 점에서, 참여자들이
일상적으로 접하고 사용하는 기술, 쉽게 이야기할 수
있는 기술을 다룰 필요가 있었다. 셀카는 스마트폰
보유자라면 누구나 할 수 있고, 비교적 최근의 기술
변화에 따라 많은 사람들이 참여하는 보편화된
활동이다.

　　　워크숍을 통해 던지고자 한 핵심적인 메시지는
과학기술학의 중요한 교훈 중 하나인, "다를 수도 있다
it could be otherwise"는 명제였다. 현재 우리가 사용하는
기술, 우리를 대상으로 하는 기술은 필연적이고
객관적인 원리에 의해 그렇게 된 것이 아니라, 여러
정치적·역사적 맥락과 물질적 조건이 작용하여 그렇게
된 것이다. 역사나 사회 정치의 전개가 시대와 환경에
따라 다를 수 있는 것처럼, 우리가 처한 기술적 조건

셀카의 기술

또한 다를 수 있다는 이야기다. 이렇듯 기술의 '다를 수 있음'을 드러내기 위한 과정으로 셀카 앱이라는, 얼핏 동일한 기능을 수행하는 것처럼 보이는 도구를 여러 개 비교 관찰하고, 해당 기술을 개발하는 산업 주체에 대해서도 알아보는 시간을 가졌다.

주어진 도구로서의 기술이 같다고 하더라도 그것과 어떤 관계를 맺는지는 사람마다 다른 문제이다. 기술은 진공에 존재하는 무엇이 아니다. 기술을 만들어낸 사람, 사용하는 사람, 그것이 만들어지고 사용되는 시공간과 사회 등의 모든 맥락과 연결되어 있다. 사용자 관점에 국한해 이야기해 보면, 같은 기술도 사용하는 사람이 누군지에 따라 그 기술이 사용되는 목적이나 사용자와 맺는 관계, 그로 인해 작동되는 방식과 발생시키는 효과 등이 조금씩 달라진다. 기술은 인간의 활동이며, 독립적인 것처럼 보이는 그 어떤 개별 기술도 인간과의 관계 속에 존재한다는 점에서, 기술에 관해 말할 때는 그 구체적인 사례를 통해 말하는 것이 유용한 접근이 된다.

셀카라는 행위는 기술technology, 특히 안면인식 기술의 기본적인 원리와 관련되어 있다. 그러나 '셀카의 기술'이라는 워크숍 제목은 중의적으로 지은 것이다. 사전 정보 없이 읽었을 때는 '셀카 잘 찍는 법', 셀카 보정술' 등으로 읽힐 수 있는 표현이다. 그러나 셀카 잘 찍는 법을 다루는 워크숍은 아니라고 참여자 모집글에 명시해두었다. 셀카는, 기술이라는 추상적 주제에 관해 구체적 사례를 바탕으로 대화하기 위한 장치다. 기술이 실제 삶 속에서 어떤 식으로 작용하는지 이야기하려면 사례를 관찰할 필요가 있고, 가장 가까운 사례는 우리 자신의 실제 경험에서 온다. 타인의 경험을 바탕으로 이야기하는 것은 필연적으로 일정 수준의 추상성을 도입하는데, 그보다는 참여자들이 각자가 경험한 사례에 관해 이야기하는 것이 자연스러운 접근이다. 워크숍에서 참여자들은 관찰에 기반한 자문화기술지*autoethnography*[1] 방법을 통해 기술의 작동 사례를 확보하고 분석하는 일을 수행했다. 셀카 자체가 자기기록 행위라는 점에서, 이에 관한 자문화기술지는 '자기기록에 관한 자기기록'으로서의 성찰성을 띤다.

　　워크숍을 통해 각자의 경험을 공유한다고 할 때, 진행자로서 내가 신경써야 할 부분은 여러 가지가 있지만 마지막 순간까지 계속 고민되었던 부분은 '안전한 공간'을 어떻게 구성할 수 있을지였다. 이를 위해 간단한 행동강령을 준비해 함께 읽고 동의하는 등의 절차를 준비했으나, 내용 구성에 관한 고민이 컸다. 셀카는 사진을 찍는 행위이면서, 동시에 그 사진을 소셜 미디어 플랫폼에 공유하는 등의 방식으로 자기를 전시하는 행위이기도 하기 때문이다. 소셜 미디어 플랫폼을 활용하면서 혹시 모를 제3자의 괴롭힘으로부터 안전한 (디지털) 공간을 보장할 수 있었을까? 괴롭힘이 발생할 확률은 낮겠지만, 가능성을 완전히 배제하기도 어려워 보였다. 참여자들이 미성년자이기 때문에 더욱 조심스러웠다.

　　이런 고민의 연장선에서, 워크숍 참여자들끼리

---

1. 자신의 경험을 인류학적으로 관찰하고 기록하는 방법.

또는 참여자들이 나에게 사진을 공유하는 일 또한 최소화하고 싶었다. 온라인으로 진행되는 워크숍에서 행여 사진이 유출되는 일이 생기거나 혹시라도 참여자들 간에 사진을 (그리고 사진 속의 얼굴을) 평가하는 분위기가 생긴다면 큰일이었고, 그렇지 않더라도 워크숍으로 짧게 만나는 관계에서 사적인 사진을 공개하는 일은 불편했을 가능성이 있다. 앞서 말한 것처럼 셀카라는 행위를 이미 적극적으로 수행하는 사람들만 참여하게 되는 것은 아닐까, 워크숍에서 다루고 싶은 주제에 비해 좁은 범위의 참여자만 모집하게 되는 것은 아닐까 하는 우려가 있었다. 셀카라는 활동과 기술을 이야기하는 자리지만, 참여자 각자가 셀카와 맺고 있는 관계는 최대한 다양할 수 있기를 바랐기 때문이다. 셀카 사진을 직접 공유하는 것이 아니라 구술을 통해 또는 활동지에 서술한 기록을 통해 공유하는 방식, 사진을 보여주지 않고 사진에 관해 이야기하는 일련의 접근은 이러한 맥락에서 계획되었다. 이 글 또한 워크숍을 되짚어보는 글이지만 워크숍의 결과물을 첨부하지는 않는다.

　　얼굴 노출을 최소화한다는 취지에서 한 가지 더 추가한 장치는 카메라 렌즈에 스카치테이프를 붙이는 활동이었다. 이는 미디어 아티스트 골란 레빈*Golan Levin*이 2021년 발표에서 공유한 접근법을 빌려온 것으로, 화상 회의 환경에서 참여자들이 화면을 끄고 싶어 하는 경향과 진행자가 참여자들의 반응을 보고 싶어 하는 입장 사이의 절충안이라고 할 수 있다. 스카치테이프로 카메라 렌즈를 덮음으로써 참여자

영상에 드러나는 얼굴, 배경 등의 디테일을 일정 부분 감추면서도 대강의 표정이나 고갯짓은 전달할 수 있기 때문이다. 스카치테이프라는 아주 간단한 물리적 도구를 사용해 영상을 (흐리게) 변조하는, 일종의 수동 셀카 필터를 장착하는 활동인 셈이다.

워크숍의 배경이 된 또 하나의 축은 페미니즘에 입각한 기술 논의였다. 셀카를 다루는 워크숍에 관한 아이디어는 2019년 말 즈음 생겼고, 《제로의 예술》 기획팀 및 여러 동료들과 대화하며 발전했다. 그중 큰 줄기를 차지한 것은 전유진 작가와의 대화다. 2020년 1월 그를 만나 '여성을 위한 열린 기술랩' 활동에 관해 들을 기회가 있었다. 기술 리터러시와 기술 담론 두 가지를 축으로 하는 기술랩 활동을 수행하며 전유진 작가는 '화해'라는 단어를 자주 사용하고 있다고 말했다. 기술이라는 대상에 대해 느끼는 거리감과 소외를 해소하기 위해, 그것에 우선 관심을 가질 수 있도록 하는 화해의 과정이 필요하다는 것이다. 한국의 교육 장치가 기술 교육을 다루는 방식, 그리고 사회적으로 자리 잡은 여성과 기술의 관계 맺기 방식으로 말미암아 여성은 기술에 대한 거리감을 배로 경험하게 된다. 특히 그가 강하게 비판하며 개입이 필요한 지점으로 꼽은 것은, 현재 공교육을 받고 있는 10대들이 자신이 자라날 때보다 오히려 기술로부터의 소외를 더 경험하는 듯하다는 것이다. 기술에서의 성평등은 퇴보한 것일까? 그의 설명에 따르면 이런 문제의 이면에는 어린 여성이 예전보다 훨씬 더 어린 나이에 남녀를 구분하는 성별 스테레오타입을 접하고

화장 등을 통해 그러한 스테레오타입을 수행하는
현상이 있다.

　　나는 일련의 인공지능 기반 사진 보정 응용
사례들, 그중에서도 '뷰티 필터'라고 불리는 것들을
떠올렸다. '아름다운' 얼굴의 구성 요소를 수치화하여,
해당 수치를 증가시키는 방향으로 사진을 수정해주는
알고리즘이다. 필터를 구성하는 수치들(파라미터로
추상화되어 조정할 수 있는 값)은 보통 피부색이
얼마나 밝은지, 턱이 얼마나 갸름한지, 눈이 얼마나
큰지 등을 포함한다. 특정한 스타일의 메이크업을
적용해주기도 한다. 사진 속 얼굴을 수정하기 위해
화면상의 슬라이더를 미는 움직임은 아주 사적인
것이면서도 동시에 사회적으로 바람직한 것으로
받아들여지는 외모 평가 기준을 자신에게 적용하는,
사회적인 힘의 작용이기도 하다. 어떤 신체의
존재가 더 환대받는지와 관련된 이 힘은 셀카 앱의
경우 엔지니어가 코드화한 응용프로그램의 형태로
존재하며, 주로 여성에게 압도적으로 크게, 자주
작용한다. 이러한 경향을 잘 보여주는 화면은 셀카
앱을 위한 필터를 생성할 수 있는 〈크리에이터
스튜디오*Creator Studio*〉 어플리케이션을 실행했을 때
볼 수 있다. 스티커, 메이크업, 색보정, 배경 조정 등
툴이 제공하는 다양한 기능을 열거하는 첫 화면에서
사진 속 피사체로 등장하는 인물은 전부 긴 생머리를
한 동북아시아계 여성이다. 이 앱의 개발자가 상정한
사용자는 전부 이런 모습이어야 하는 것처럼.

　　한편으로는 자신의 외모를 수정하고 특정한

모습을 수행하는 일을 자기 표현과 존재를 확장하는 것으로 볼 수는 없을지 궁금하기도 했다. 특히 온라인 공간에서 기술적으로 이루어지는 외모 수정은 사이보그적 자기 개조로서, 자신이 원하는 형태의 외모를 선택하여 다른 모습으로 존재할 수 있는 힘을 부여해준다고 할 수도 있을까? 그러나 인기 셀카 앱에서 그러하듯, 도구가 제공하는 자기 개조의 방향이 대부분 특정한 형태의 아름다움을 향하고 있다면 그것이 정말로 자아의 가능성을 확장해주는 것인지 의문을 가질 수밖에 없다. 산업, 문화, 기술로서의 뷰티에 관한 더 큰 논의 속에서 앞으로 진전시켜야 할 이야기이기도 하다. 셀카는 기술이다. 그것이 어떤 기술이 될 것인지는 우리에게 달려있다.

구축 없는 건축의 구축

강현석

슈퍼스튜디오(Superstudio), 〈연속적인 기념비(The Continuous Monument: New York)〉, 1969

하나의 거대한 유령이 마천루 숲을 가로질러 관통하고
있다. 총체적 맥락을 무시한 채. 그 모습은 하늘을 향해
각자의 개성을 뽐내고 있는, 몸체와 머리를 가진 수직적
존재들과 상반된다. 칼로 도려내듯이 기존 이미지를
절단하며 소실점을 향해 수평선을 끝없이 연장하는
직교 체계의 무표정함은 마천루 자체보다는 발을 딛고
있는 도시 표면의 구조를 닮아있다. 유령은 두께를
가진 표면으로 정의할 수 있다. 하늘과 주변을 반사하는
데카르트 그리드[1]의 균질한 표면 이외에는 존재에 대한
어떠한 부가적인 설명도 거부하고 있기 때문이다.

그 실체를 유일하게 표상하는 좌표 평면은 두
축 상의 점으로부터 뻗어나간 선들의 교차점으로

정의된다. 평면은 원점으로부터
무한히 확장될 수 있으며, 원점이
의도적으로 삭제될 때 평면 상의
모든 점들은 물리적 의미를
넘어 평등한 지위를 얻게 된다.
복수의 좌표 표면들은 마치
로빈 에반스*Robin Evans*의 〈전개된
표면들*The Developed Surface*〉처럼
상황에 따라 그 형태를 달리하며
벽, 바닥, 기둥, 입방체, 원통 등의

---

1. 우주에 존재하는 모든 점을 정의할 수 있는
   x, y, z 축의 시스템. 점은 다양한 형태의
   선, 면, 입체, 공간으로 발전할 수 있다.

구축 없는 건축이 구축

111

다양한 표피 덩어리를 생산한다.

유령은 이를 원동력 삼아 맨해튼에 머물지 않고 세계를 배회하면서 자유로운 태도로 대지를 점유한다. 그라츠, 포시타노, 피렌체 같은 도시부터 강, 습지, 사막, 해안 절벽과 같은 자연의 영역까지. 반투명한 백색의 그리드 구조물은 브루넬레스키*Filippo Brunelleschi*의 기념비적 돔에는 상징의 부재로, 찰스 디킨스*Charles Dickens*의 산업 도시 코크타운에는 차별의 부재로, 알파인 호수의 태초적 형상에는 이성적 구조로서 충돌하며 장엄함을 드러낸다. 기존의 것들을 부정하고 잠식하는 안티테제로서 각진 덩어리는 대상에 직접 개입하지 못하고, 거리를 둔 채 대비될 때에만 숭고한 자신을 발현한다는 점에서 모호하고 모순적이다. 이 상황은 1966년 피렌체 대홍수 당시 위대한 도시와 역사의 기념비들이 유동하는 흙탕물의 수평면에 잠식되었던 두오모 광장에 대한 기시감을 준다.

거대한 스케일의 장면이 상연하는 공포와 공허의 충격은 그 표면 위로 인간이 등장하면서 잠잠해진다. 오브제들의 의미가 파괴된 균질하고 중립적인 장 위에서 인간은 본연의 감각과 의미를 소외시키는 모든 형식과 구조로부터 해방된 모습으로 묘사된다. 세계에 전개된 좌표를 자유 의지로 점유하고, 필요를 충족시켜주는 그리드에 플러그인하여 거주하는 유목인들의 모습은 비로소 표면의 정체를 드러낸다. 그것은 기술과 문화 그리고 이데올로기를 균일하고 평평하게 두들겨 만들어낸, 0에 가까울 만큼 얇은 거울이자 극대화된 시스템이다.

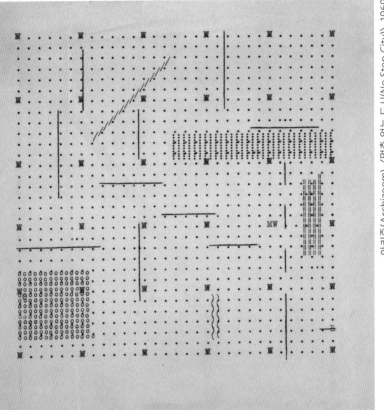

아키줌(Archizoom), 〈멈춤 없는 도시(No Stop City)〉, 1969

여기 하나의 거대한 박스가 있다. 박스는 공장이자
슈퍼마켓이며, 동시에 주차장이다. 도시는 윗면을
열어 내부에 적층된 판들을 개별적으로 보여주는
방식을 통해 자신의 세계를 재현하는 것을 선호한다.
도시의 경험자는 구석구석을 배회하며 탐색하는 동안
어떠한 건축물도 마주칠 수 없다. 이 도시에는 오로지
질서와 시스템만 존재할 뿐이다. 판의 평면 위로
데카르트의 그리드가 다시 등장하여 결절점[2]만 남긴 채
사라진다. 백색 표면 위에 일련의 질서를 따라 무한히

---

2. 복수의 선이 접목되어 집중되는 지점.

건축 없는 건축의 구축

반복하여 확장하는 검은색 점들이 나타난다. 그 모습은 마치 기호와 같아서 조종자와 연결이 끊긴 프린터 기계의 출력물 오류와 흡사하다.

점들은 표면의 위아래로 연장되어 도시의 판들을 지지하는 기둥이자 자원의 공급처가 되면서 모든 표면을 3차원적인 등방성[3]의 장으로 치환한다. 용지 위로 또 다른 '점의 질서'를 가진 기호들이 타이핑되기 시작한다. 100제곱미터마다 한 대의 엘리베이터, 50제곱미터마다 하나의 화장실과 같은 양적 규칙을 갖는 기호들이다. 상이한 리듬의 시스템은 자유의 백사장 위에 발자국을 남기며 평면의 네 변을 향해 발 맞추어 전진한다. 기호의 수를 세는 방식으로 박스의 크기를 가늠할 수 있어 보이지만, 눈 앞의 평면이 미디어의 경계인지 혹은 박스의 실제 경계인지는 불분명하다. 400미터 동떨어진 도시의 두 지점을 확대해 비교해도 우리는 그 차이점을 분간할 수 없을 것이다. 따라서 그 크기와 한계보다는 자동차 조립 공장의 컨베이어 벨트처럼 대량 생산을 통한 멈춤 없는 자기 복제가 이 도시의 핵심이다.

도시 박스의 네 면에는 창이 없다. 모든 층의 내부 환경은 인공 조명과 공기 시스템으로 균일하게 조종된다. 결과적으로 내부의 모든 영역은 동등한 환경과 인프라의 조건을 갖게 되고, 이는 질보다 양적인 가치에 우선 순위를 두는 도시의 지향점을 정당화한다. 각 판의 상이한 프로그램들 또한 벽이나

---

3. 공간이나 물질의 성질이 방향에 따라 다르지 아니하고 같은 성질.

실을 표상하는 점, 선, 면의 요소들을 복제해나가는 방식을 통해 전체 질서와 움직임에 동참한다.

손으로 자유롭게 그린 듯한 곡선들과 불규칙하게 흩어진 별자리와 같은 기호들이 어느 순간 이러한 직교 체계의 장에 등장한다. 이는 인간의 자발적인 의지에 의해서 도시 곳곳에 배치된 가구들이다. 박스의 도시에서 테이블, 침대, 조리대, 원형 계단, 텐트, 컨테이너 같은 가구들은 타 도시의 주택을 대체한다. 자유로운 이동 및 조합이 가능한 가구로 인한 거주 방식은 모든 것이 질서를 따르도록 통제된 도시의 엄격한 규칙에서 인간에게만은 해방을 준 듯 보인다. 하지만, 가구 역시 소비와 대량 생산 문화의 산물이라는 점에서 인간의 거주 또한 끊임없는 자기 복제 시스템의 굴레 안에 갇히게 된다.

이렇게 도시 박스는 멈춤 없이 생산하고 소비하고 거주하면서 세계를 향해 도시화를 확장해나간다. 산과 같은 자연도 도시의 양적 확장의 움직임을 가로막을 수 없다. 자연은 박스 안으로 잠식되어, 수면 위로 드러난 산호 환초처럼 내부의 판들 위로 군도를 형성할 뿐이다. 이 극대화를 멈출 수 있을 것 같은 유일한 한계는 박스라는 지오메트리[4]의 경계처럼 보인다. 하지만 긴 배회 끝에 마침내 도시의 끝, 그 무표정한 옆면에 닿았을 때 작은 창문을 통해 보는 경험자의 눈 앞에는 박스들이 마주하는 거울에 의해 무한히 복제되고 있는 장면이 펼쳐진다.

---

4. 기하학. 도형의 거리, 모양, 크기, 상대적인 위치와 관련된 공간의 속성.

이탈리아 피렌체 출신의 건축 그룹
슈퍼스튜디오*Superstudio*의 〈연속적인 기념비*The*
Continuous Monument〉(1969)와 그 연작으로 볼 수 있는
〈슈퍼 표면*Supersurface*〉(1971), 그리고 또 다른 그룹
아키줌*Archizoom*의 〈멈춤 없는 도시*No-Stop City*〉(1969)는
당시 피렌체, 밀라노, 나폴리, 토리노 등 이탈리아
전역에 걸쳐 일어난 '급진적 건축' 운동을 대표하는
작업들이다. '급진적'이라는 형용사는 그 작업에 내재된
건축가들의 사회를 향한 비판적 사고와 프로젝트적
태도를 수식한다. 두 작업은 공통적으로 근대 도시가
산업 자본주의의 산물이라는 전제를 응시하고 있다.
계급, 차별, 소외는 자본주의 도시가 영원히 벗어날 수
없는 원죄다. 자본주의는 필연적으로 발생하는 가치
위기에 대한 부정적인 생각들을 오히려 수용하고
이용하는 전략으로 본연의 목적, 즉 노동력의 재생산과
확대를 꾸준히 진행해왔다. 이 과정에서 근대 건축은
자본주의의 대립 구조를 근본적으로 해소하는 대신,
양자 간의 균형을 조절하여 체제를 유지하고자 하는
'개량주의'의 도구로 전락하고 말았다.
　　　결과적으로, 프리드리히 엥겔스*Friedrich Engels*가
「주택 문제에 대하여*The Housing Question*」(1872)에서
'노동자 계급의 도시'는 존재하지 않고 오직 현존하는
도시에 대한 '노동자 계급의 비판'만 있을 뿐이라고
설파했듯이, 자본주의 시스템에서 노동 계급은 더

FROM THE CONTIN
" ON THE ROCKY COAST "

슈퍼스튜디오(Superstidio),
⟨연속적인 기념비(The Continious Monument: On the Rocky Coast)⟩, 1969

나은 도시를 제시받을 수는 있어도 결코 도시의 주인은 될 수 없다. 이런 맥락에서 두 아방가르드 건축 그룹은 자본주의 도시를 비판하거나 대안을 제시하는 타협적인 태도를 거부했다. 오히려 자본주의의 도시화 속도를 최대로 가속하여 극대화된 시스템만이 부르주아 도시에 대항할 수 있는 유일한 카운터파트라 여겼다.

슈퍼스튜디오의 〈연속적인 기념비〉는 극대화된 단일 오브제[5]를 통한 모든 오브제로부터의 해방에 대한 서사이다. 자본주의 사회는 오브제의 생산과 소비의 순환 과정을 동력으로 삼으며 계급 갈등, 대상화, 상품화의 위험을 내재한다. 〈연속적인 기념비〉에 등장하는 단일 형태의 건축은 오직 하나의 형성 원리, 균일한 직교 체계를 통해 어느 장소에나 적용 가능하며 무한하게 재생산될 수 있다. 따라서 노동 계급 재생산을 목표로 하는 도시화의 확장에 최적화된 유연하고 기능적인 도구이자 동력 시스템을 표상하는 거울이다. 〈연속적인 기념비〉는 확장하는 균일한 구조물 자체를 자신의 신체이자 유일한 오브제로 삼고, 모든 생산과 소비 과정의 결과가 빠르게 자기 자신으로 귀결되고 냉각되도록 하는 방식으로 기존 오브제의 형식과 도시의 권력 구조를 잠식하고 파괴한다.

---

5. 자본주의 시스템에서 생산되고 소비되는 상품, 대상, 객체.

"디자인이 단순히 소비를 유도하는 것이라면, 우리는 디자인을 거부해야 한다. 건축이 소유와 사회에 대한 부르주아 모델을 단순히 체계화하는 것이라면, 우리는 건축을 거부해야 한다. 건축과 도시 계획이 현재의 불공정한 사회 분열의 공식화일 뿐이라면, 모든 디자인 활동이 기본 필요 사항을 충족하는 것을 목표로 할 때까지 우리는 도시 계획과 그 도시들을 거부해야 한다. 그 때까지, 디자인은 사라져야 한다. 우리는 건축 없이 살 수 있다."[6]

아키줌의 멤버 안드레아 브란치*Andrea Branzi*는 〈연속적인 기념비〉를 '도시 없는 건축'으로, 〈멈춤 없는 도시〉를 '건축 없는 도시'로 정의했다. 부르주아 도시의 메커니즘은 공장, 슈퍼마켓, 주거지와 같은 건축 요소로 고체화되어 전통적 권력 구조와 경계들을 어렴풋이 드러내왔다. 그런데 아키줌은 여기서 건축을 삭제하고, 자본주의 도시 시스템 자체를 과장하고 극대화하여 날것의 현실을 극단적이고 냉소적으로 드러낸다. 〈멈춤 없는 도시〉는 자본주의 도시의 모든 건축과 프로그램을 하나의 균일한 구조 안으로 용해한다.

이 구조물은 포괄적인 그리드의 질서를 따라 복제되어 사방으로 확장 가능하며, 기술과의 접목을 통해 내부의 구축 요소부터 빛, 공기까지 모두 등방성을 갖도록 제어된다. 궁극적인 결과로 도시의 생산과 소비, 일과 삶, 인공과 자연, 내부와 외부 사이의 경계가

---

6. 슈퍼스튜디오의 멤버 아돌포 나탈리니(Adolfo Natalini)가 1971년 영국 AA School 강연에서 한 말.

구축 없는 건축의 구축

119

사라지고, 노동력을 생산하고 복제하여 양적으로
확장하는 도시의 시스템만 남게 된다. 이렇게 공장,
슈퍼마켓, 주차장이 하나의 신체로 용해된 도시에서
생산의 통제는 소비와 삶의 영역까지 직접적으로
전달되지만, 역으로 노동자 계급은 생산 메커니즘을
거부함으로써 신체의 존속을 치명적으로 위협할 수
있는 가장 강력한 권력을 얻게 된다.

　　아키줌은 〈멈춤 없는 도시〉에 대해 다음과 같이
설명했다. "이 도시 모델은 실제 현실에 대한 대안이
아니라, 새로운 비판적 조명 아래에서 현실을 그대로
재현하는 것이다." 덧붙여, 건축비평가 가브리엘레
마스트리글리*Gabriele Mastrigli*는 2018년 일리노이
대학교 시카고 캠퍼스에서 진행한 슈퍼스튜디오에
대한 강연에서 당시 피렌체 건축가 그룹에게 있어서
'급진적*radical*인 것'의 의미는 모든 것들의 근본으로
향하는 것이라고 설명했다. 즉, 〈연속적인 기념비〉와
〈멈춤 없는 도시〉에 담긴 선언들은 현실에 대한 비판적
문제의식을 딛고 서있지만, 다른 대안을 향하는 대신,
다시 고개를 숙여 그 시스템의 근원을 베일 위로
드러내는 것에 집중한 것이다.

　　여기서 건축은 현실, 즉 자본주의와 모더니즘으로
확장하는 도시화의 시스템을 차갑고 뚜렷하게 비추는
가설적 도구이며, 이 거울은 시점의 변화에 따라
현실을 왜곡하거나 그 프레임 너머의 상까지 비출 수
있는 가능성이 열려있다. 이러한 관점에서 마리 쎄레즈
스타우퍼*Marie Theres Stauffer*는 두 작업을 '부정적인
유토피아*Negative Utopia*'로 정의했다.

〈연속적인 기념비〉와 〈멈춤 없는 도시〉는 실제 구축을
전제로 하지 않는 건축 프로젝트다. 이들은 일련의
드로잉으로만 존재하고, 상황에 따라 모형, 설치,
영상의 형식을 수반한다. 따라서 두 프로젝트는
클라이언트와의 협의 테이블, 구조 사무실의 계산기,
건설 현장을 거치지 않고 전시관과 출판물을 통해
대중과 직접 소통했다. 〈연속적인 기념비〉는 1969년
《그라츠 트라이곤Trigon '69 in Graz》 전시를 통해, 〈멈춤
없는 도시〉는 1970년 《카사벨라》 매거진을 통해 처음
알려졌다. 실현되지 않는 건축을 의미하는 페이퍼
건축Paper Architecture은 불행하게도 물리적 구축과 현실적
개입만이 건축의 본질이라 믿는 신봉자들에 의해
조롱의 도구로 사용되기도 한다. 하지만 구축 없는
건축은 결코 느슨하고 무기력한 상태로 남는 건축이
아니다. 오히려 구축의 부재로 인한 공극[7]들이 온전히
건축가의 자율성으로 채워진 또 다른 구조의 건축
결정이다.

　　　모든 건축 드로잉과 모형은 재현representation을
위해 존재한다. 구축된 건축에서 이들은 경험자를
똑바로 응시하지 않고 현실 세계의 한 지점에 서있는
물리적 신체 쪽으로 비스듬하게 방향을 내어준다.
따라서 커뮤니케이션은 경험자, 매체, 구축된
현실이라는 세 점 사이의 교신을 통해 발생한다. 반면
구축 없는 건축의 드로잉은 여기에서 구축된 현실의

---

7. 암석 또는 토양 입자 사이의 틈.

인력을 끊고 경험자를 자신의 내부로 직접 끌어들여 충돌하게 한다.

그 재현의 세계에서 클라이언트로부터 해방된 건축가가 경험자를 맞이한다. 클라이언트의 요구, 프로그램, 예산, 취향 등 구축의 우선 전제에서 벗어난 건축가는 본인이 바라보고, 사고하며, 말하고자 하는 세계를 능동적으로 미디어 캔버스 위에 투영한다. 이에 따라 각 세계는 건축가의 자유 의지를 반영해 그 내용과 범위를 달리한다. 존 헤이덕*John Hejduk*의 경우 기억과 감정의 건축적 서술을, 에티엔 루이 불레*Etienne-Louis Boullee*는 건축 내적 질서와 형태적 이상을, 아키그램*Archigram*은 기술적 진보와 도시 시스템을 다루었다. 건축가들은 주어진 비구축의 조건을 건축의 내적 탐구, 혹은 세계에 대한 비판이나 대안의 제시를 심도 있게 개진할 수 있는 기회로 삼는다.

구축 없는 건축은 대상지를 비롯한 물리적인 한계로부터 해방된다. 따라서 세계의 모든 장소들과 비물리적 대상들이 건축가에게 가능성의 대지로서 연결된다. 건축가는 비율이 고정된 미디어 캔버스의 크기를 무한히 확대하거나 축소하며 재현하려는 사고와 대상에 적확하게 부합하는 대상지와 범위를 캡처해낸다. 그곳은 남태평양의 산호 환초 혹은 도시의 마천루 숲일 수도 있고, 성당의 종탑이나 고래의 뱃속일 수도 있으며, 타불라 라사*Tabula rasa*[8]일 수도 있다. 건축가는 선택한 대상지에 존재하는 모든

---

8. '깨끗한 석판'을 뜻하는 라틴어로, 아무것도 씌어있지 않은 종이, 즉 백지(白紙)를 의미한다.

물리적 공간과 환경, 그리고 시간까지도 조정할 수 있는 자율성이 있지만 중력의 전원 스위치로부터는 거리를 둔다. 중력은 건축의 에덴에서 규율로써 주어진 선악과와 같다.

구축 없는 건축은 모든 형식적 제약으로부터 해방된다. 드로잉, 모형, 영상, 설치, 텍스트 등 형식의 자유를 통해 건축은 세계의 곳곳을 배회할 수 있다. 이들은 동시다발적으로 여러 장소에 존재할 수 있으며, 감상자를 대면하고 있는 장소가 곧 건축이 서있는 장소가 된다. 따라서 구축 없는 건축은 순결성과 시간성이 유지된 말랑말랑한 상태를 통해 꾸준히 매체 사이를 흐르며 무수한 감상자들을 만난다. 그러고는, 건축가의 내면에 있는 아이디어를 즉각 재현하여 옮긴다.

구축 없는 건축의 구축

구축 없는 건축은 현실에서 벽돌이나 콘크리트로 지어지는 대신 미디어 캔버스 위에서 염료나 픽셀로 구축된다. 실재하는 건축은 방문자가 물리적 공간을 경험하는 과정에서 감각 기관들에 의해 즉각적으로 자극을 받아 인식된다. 반면 구축 없는 건축은 감상자의 의식 속에 존재하는 도시와 건축에 대한 기억과 의미망의 상호작용을 통해 인식된다. 2차원 평면 그림 속의 오리는 그 위에 건축 요소인 창과 문을 그려놓는 순간 동물에서 건축으로 변환되어 인식된다. 조르조

슈퍼스튜디오(Superstudio),
《슈퍼표면(Supersurface)》, 1971

데 키리코*Giorgio de Chirico*의 그림 앞에 선 감상자는 어디선가 어렴풋이 보았거나 경험했던 광장, 탑, 항구 도시, 기차역, 성, 공장의 기억들을 소환하며 작가가 재현하는 내향적인 세계에 동참한다.

모든 건축은 질서를 구축하는 행위다. 건축의 질서는 기둥, 벽, 바닥, 지붕 등의 구조적 질서부터 문, 창문, 계단과 같은 관계적 질서를 거쳐, 궁극적으로 건축과 대지, 주변, 자연의 질서까지 총체적이고 복합적으로 확대된다. 건축이 사회적 산물이라는 관점에서 보면, 근대 도시의 건축은 우리의 인식 속에서 기능성과 합리성을 암묵적으로 따르는 질서와 시스템으로 존재한다. 드로잉 속의 건축 또한 질서를 통해 구축된다. 건축가는 질서의 구축을 통해 말하고자 하는 바를 재현한다. 여기서 건축가는 기존 건축에 내재한 총체적 질서에서 특정 부분을 도려내어 극대화하거나, 질서의 체계를 전복하거나, 이질적 질서들을 결합하여 변종을 구축하는 방식으로 감상자의 매끄러운 인식 과정에 덜컹거림의 순간을 만든다. 이때 감상자의 인식 장치는 깊이 없는 캔버스의 표면을 횡단하며 펼쳐진다.

구축 없는 건축에서 배경은 건축가에게 주어진 절대적인 것이 아니다. 건축가는 능동적으로 배경을 설정하고 그 요소들을 조작하여 재현의 거리감을 좁힌다. 배경은 건축이 안착하는 대상지이자 개입하는 세계이며, 제3의 존재이다. 건축 드로잉의 미장센*mise-en-scene*은 고정된 장면 속에서 건축이 배경과 관계 맺는 방식을 통해 내러티브를 구성한다. 〈연속적인 기념비〉는 맨해튼에서 삭제와 점유, 코크타운에서는 거리 두기와 관망, 콜로세움에서는 공존과 변이의 태도를 취한다. 여기서 배경들은 각기 표상하는 대상을 통해 드로잉 상의 플롯*plot*을 복합화하며 경험자가 스토리를 유추하도록 자극한다. 〈연속적인 기념비〉와 관계 맺고 있는 맨해튼과 코크타운, 콜로세움은 각각 자본주의와 근대화의 도시, 차별의 시스템, 그리고 영속적인 기념비의 표상이다. 이들은 경험자가 건축의 문장을 읽는 방식에 따라 전경과 배경의 관계를 역전시키기도 한다.

건축은 공간을 품은 경험의 다면체다. 하지만 구축 없는 건축은 미디어 캔버스에 캡처된 순간의 장면만으로 경험자와 조우한다. 따라서 건축가는 건축의 내외부를 무중력 상태에서 배회하면서 카메라 렌즈와 건축, 그리고 말하고자 하는 핵심이 일직선 상에서 포개지는 순간을 포착한다. 모든 과정은 '찰나를 어떤 방식으로 표현할 것인가'라는 문제로 수렴되며, 건축가는 이 의도를 재현 과정의 최전선에 심어놓는다. 〈연속적인 기념비〉의 극사실적 사진 배경과 추상적 건축 드로잉을 사용한 콜라주*collage* 방식은 현재에 날카롭게 개입하여 공존하는 건축의 개념을 따른다. 한편 〈멈춤 없는 도시〉의 일부는 타자기의 출력물로 구성된다. 반복된 패턴으로 찍힌 타자기 기호들의 추상적인 평면은 하나의 기계적인 시스템 – 타자기 – 안에서 무한히 복제되는 도시 개념을 드러낸다.

건축가가 사고하는 바를 미디어 캔버스에 옮기는 행위를 마치는 순간, 건축은 당시의 시간과

함께 밀폐되어 동결된다. 그 구축 과정 동안 건축가의
의식 작용에 관여했던 사회 정치적 상황과 사건의
파편들은 캔버스 프레임 주위로 만화경과 같은
구조를 형성하면서 감상자의 인식 과정을 입체적이고
다채롭게 변화시킨다.

　　〈연속적인 기념비〉와 〈멈춤 없는 도시〉가 탄생한
피렌체의 1969년을 기점으로 두 작업의 배경이 될
만한 시간의 파편들을 나열하자면 다음과 같다.
1957년 이탈리아의 첫 번째 슈퍼마켓 도입, 1962년
튜린 노동자 총파업, 1963년 근대 건축의 거장 르
코르뷔지에Le Corbusier의 피렌체 전시, 1964년 뉴욕
현대미술관 《건축가 없는 건축》전, 1964년 베니스
비엔날레의 팝 아트 소개, 1964년 영국 건축 그룹
《아키그램》 잡지 5호 발간, 1965년 피아트Fiat 자동차
100만 대 생산 달성, 1966년 아르노 강의 범람으로
인한 피렌체 대홍수, 끝으로 1968년 프랑스의 68운동.

　　구축 없는 건축은 연합한다. 내부적으로는
여러 형식들의 연합으로 그 재현 과정을 강화한다.
슈퍼스튜디오는 9분여 길이 영상인 〈슈퍼
표면Supersurface: An alternative model for life on the earth〉을 통해,
아키줌은 거울로 둘러싸여 무한히 반사되는 녹지
지붕의 흰 박스 모형을 통해 개념의 전달을 보강한다.
구축 없는 건축은 외부적으로 텍스트와 연합한다.
여기서 텍스트는 건축을 묘사하거나 설명하는 데
국한된 존재가 아니다. 그것은 건축가가 프로젝트를
통해 부분적으로 재현하고자 했던 총체적인 아이디어
그 자체다. 〈멈춤 없는 도시〉는 「도시, 사회적

이슈들의 생산 라인*City, Assembly Line of Social Issues*」(1970)과
「거주하는 주차장과 유니버설 기후 시스템*Residential Car Park, Universal Climate System*」(1971), 「질적 유토피아와 양적
유토피아*Utopia of Quality, Utopia of Quantity*」(1971), 그리고
「부도덕한 도시*The Amoral City*」(1972) 등의 텍스트를
수반한다. 이 강력한 연합 체계에서 건축과 텍스트는
서로에 기대어 건축가의 사고를 구축한다.

구축 없는 건축의 공간

1990년, 베네수엘라의 수도 카라카스의 중심에 높이
192미터의 오피스 빌딩이 건설되기 시작했다. 하지만
'다비드 타워*Torre de David*'로 불리는 이 고층 건물은
1993년 개발업자 다비드 브릴렘버그*David Brillembourg*의
사망과 1994년 베네수엘라 전역에 퍼진 은행 위기로
공사가 중단됐다. 이 미완성 건축은 45층의 콘크리트
뼈대와 바닥, 그리고 부분적으로 시공되다 멈춘 유리
외피의 모습으로 장기간 방치됐다.

　　2007년부터 이 '죽은 거인'의 몸체에 사람들의
생기가 닿기 시작했다. 카라카스 변두리의 무허가
빈민촌에서 쫓겨난 이들이 하나둘씩 그 텅 빈 공간을
점유하기 시작한 것이다. 이들의 숫자는 점점 늘어
2014년에는 약 3천여 명의 주민들이 다비드 타워를
무단 점유하여 거주지로 삼았다.

　　벌거벗은 회색 구조물 내부에 주민들은
창의적이고 다채로운 공동체를 형성했다. 이들은 각

층의 칸을 나누고 쓸 수 있는 재료들로 거주 영역을 만들었다. 붉은 벽돌, 신문지, 페인트, 무늬 벽지로 마감된 임시 칸막이들은 사적 영역을 정의했고, 형형색색의 커튼, 가구, 액자, 천, 조화 등과 어우러져 개인의 취향을 발산했다. 수직 마을의 구석구석에 잡화점, 식당, 봉제 공장, 이발소와 같은 소규모 사업체들이 등장해 미시 경제를 형성했고, 농구장, 체력 단련장, 놀이터, 교회 등 공동 시설도 생겨났다. 엘리베이터가 없는 타워의 긴 수직 이동거리는 근접한 주차 타워로 택시를 운행해 사람과 짐을 실어 나르며 극복했고, 물, 전기의 사용과 마을 전체의 청결은 자치 기구를 통해 주민 모두가 함께 관리했다.

　다비드 타워는 구축이 완결되지 않은 미완성의 건축이다. 그것은 베네수엘라에서 세 번째로 높은 마천루의 금융 센터로 우뚝 서고자 했지만, 기둥과 바닥판의 질서로 엮인 빈 공간으로만 남았다. 하지만 다비드 타워는 경계와 프로그램, 즉 폐쇄성과 자기 완결성이 없는 열린 구조로 남겨졌기 때문에 가난한 시민들에 의해 점유될 수 있었고, 그들의 손에 의해 예상치 못한 환경으로 탈바꿈됐다.

　건축 사진작가 이완 반*Iwan Baan*이 기록한 타워의 입면 사진은 중첩되어 있는 건축가와 일반인의 흔적들을 보여준다. 규칙적이고 똑바른 콘크리트 그리드 사이 공간마다 주민들이 세운 삐뚤빼뚤하고 엉성한 벽돌 담들과 각양각색의 창, 커튼, 걸려진 빨래들이 하나로 결합되어 강한 불협화음의 이미지를 생산한다. 여기서 주민들은 건축가가 세워놓은

질서를 토대로 그것을 변이된 성격의 새로운 존재로
완성하는 데 '참여'했다고 할 수 있다. 건축가 잔카를로
데 카를로*Giancarlo De Carlo*는 참여란 더 이상 권력이
존재하지 않을 때, 즉 모두가 동등한 입장에서 모든
결정 과정에 직접 관여할 때 이루어진다고 했다.

　　구축 없는 건축에서 건축가는 세계를 응시해
아이디어를 생산하고, 그것을 건축으로 치환해 미디어
캔버스 위에 구축한다. 구축 없는 건축이 재현하는 바가
실존의 건축이 아닌 아이디어이기 때문에 건축가와
경험자 사이에는 어떤 권력 관계도 존재하지 않는다.
오히려 그 커뮤니케이션 과정에는 다수의 빈 공간들이
존재한다. 공간은 미디어 캔버스의 드로잉 위에,
텍스트의 문장들 사이에, 그리고 건축가가 가리키는
현실의 세계 안에 일차적으로 생겨난다. 이어서
이차적인 공간들이 건축과 아이디어 사이, 그리고
아이디어와 세계 사이에 발생한다. 경험자의 인식
과정으로 연결된 이 공간들은 모든 참여에 열려있고,
매 순간의 개입을 기폭제 삼아 다른 형식과 내용으로
폭발하며 그 영역을 확장할 수 있다.

　　2021년 브뤼셀의 미술관 CIVA에서 열린
슈퍼스튜디오의 전시 《슈퍼스튜디오 이주*Superstudio
Migrazioni*》에서, 아트 디렉터 니콜라우스 허쉬*Nikolaus
Hirsch*는 그들의 작업이 50여 년이 지난 현재에도
유효한 이유는 직면한 위기들에 대응하여 시스템을
구축하는 건축가의 전형을 제시하기 때문이라고
설명했다. 2007년 건축 그룹 도그마*Dogma*는 아키줌의
〈멈춤 없는 도시〉의 안티테제로서 〈멈춤 도시*Stop*

City〉라는 제목으로 드로잉과 텍스트를 발표하며 도시와 시스템에 대한 논의를 넓혔다. 기후위기와 지속 가능성의 문제를 다룬 〈투발루 프로젝트*Tuvalu Project*〉(2019)는 2021년 《제로의 예술》과 함께한 〈섬:시티〉[9] 워크숍에서 일반인들의 시나리오와 드로잉 참여로 미래를 상상하고 확장했다. 구축 없는 건축의 가능성은 '별의 순간*Sternstunde*'[10]이 아닌 '폭발의 순간'에 있다.

---

9. 2021년 2월에서 3월까지 강현석 건축가와 강주현 디자이너가 진행한 워크숍으로, 해수면 상승에 취약한 나라인 투발루에 관한 이슈를 공유하고 기후변화에 대비한 건축적 시나리오를 상상해보는 프로그램이었다.

10. 슈테판 츠바이크(Stafan Zweig)의 『광기와 우연의 역사』에서 미래에 운명적으로 영향을 미치는 결정, 행동 또는 사건에 대한 은유로 쓰인 표현. 점성술에서 차용한 용어로, 인간의 출생 당시 별들의 위치가 삶의 진로를 결정한다는 의미다.

집과 숲

김영주 인터뷰

제로의 예술(이하 제로) 안녕하세요. 〈섬: 시티〉[1] 워크숍에
참여해주신 것을 계기로, 이후 8월 제로의 예술
페스티벌에서도 활동을 소개해주셨는데요.
저희는 상상만 해왔던 삶을 실제로 실천하고
계신 부분에 감동을 받아 인터뷰를 요청드리게
되었습니다. 먼저 〈섬: 시티〉는 어떻게 참여하게
되셨고, 해보니 어떠셨나요?

---

1. 131쪽 참조.

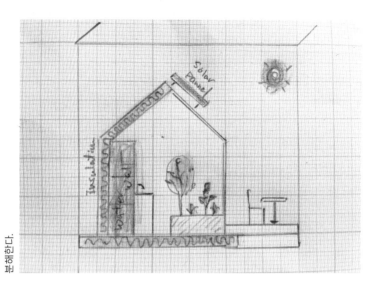

김영주(이하 영주) 페이스북을 통해 처음 알게 되었습니다. 다양한 사람들이 있다는 지점에 끌렸어요. 예전부터 여러 나라의 문화예술 활동을 하는 친구들과 공동체살이를 하면서 기대 이상의 체험을 했었고, 제 세계가 넓어지는 느낌을 받았습니다. 알을 깨고 나오는 것처럼 인식의 차원이 달라지는 것 같았습니다. 일본이나 대만 친구들과는 언어와 문화라는 장벽이 있었지만, 그런 부분을 허물면서 그동안 하지 못했던 경험을 다년간 했습니다.
〈섬:시티〉는 한국분들과 함께하고, 투발루라는 먼 곳의 섬을 염두한 지점도 매력적이었습니다. 가상의 공간이나 상황을 자신의 삶에 투영하는 점이 저의 이전 경험과도 통하는 면이 있어, 함께하면 좋을 것 같다고 생각했습니다.

제로 그때 직접 지으신 집 이야기를 듣고 너무
　　　궁금하고 가보고 싶었습니다. 집에 대해 간단히
　　　소개해주세요.

영주 이것이 저희 집 정원입니다. 재료는 이미 가지고
　　　있거나 주워오거나 재활용한 것들입니다. 생태
　　　화장실도 그렇습니다. 토양의 표면을 덮는
　　　멀칭*mulching*도 보통 비닐로 많이 하는데 비닐을

쓰지 않으려고 나무를 잘라 썼기 때문에 미생물이
자랄 수 있습니다. 야외 수돗가가 있구요.
집은 무척 작아서 예닐곱 평 조금 안됩니다.
아내와 둘이 살고 있어요. 난방은 오른쪽 굴뚝을
이용해 난로만 사용합니다. 집이 작은 이유는 돈이
없어서, 그리고 에너지를 적게 쓰기 위해서입니다.
건축가가 아니기 때문에 집을 짓는 것은 어려운

일이지만 스스로 짓고 싶었어요. 그러다 보면 기술을 스스로 익히게 됩니다. 장비도 그렇구요. 그리고 집 짓는 기술을 보유하게 되면 다른 벌이나 공동체를 위해 이용할 수도 있습니다. 공간이 필요해서 지은 것도 있지만 그 과정에서 배우는 것도 있습니다. 저나 다른 친구들을 위해 기술을 익히고 싶었습니다. 집이 크면 돈도 많이 들고 전문가의 도움이 필요하지만 작은 집이라면 중장비가 필요 없어요. 아내와 손발로 지을 수 있으니까요.

텃밭이나 공간을 구성하고 배치할 때는 퍼머컬쳐*Permaculture*[2] 공부를 했고, 그 기준으로 공간을 분석했습니다. 햇볕의 방향, 경사, 물이 흐르는 방향, 기후 등을 토대로 만들었습니다. 길고양이들이 많이 오는데 고양이들을 위한 고민도 생겨났습니다. 키홀가든*Keyhole Garden*[3] 가운데가 음식물 쓰레기를 버리는 곳입니다. 지렁이가 음식물을 분해해서 수분과 양분을 공급하는 구조로 되어있습니다. 저 공간에 다른 고양이나 새들의 손이 닿는데 어떻게 하면 좋을지 고민했습니다. 아내와 함께 주변의 이웃, 동물들까지 고민해서 만들었어요.

저희 집에 손님들이 오시면 배변은 바깥에서

---

2. 생태적인 농법으로 농사를 짓고 의식주를 비롯한 모든 생활에서 지속가능한 시스템을 만드는 삶의 방식.

3. 물이 귀한 아프리카 지역에서 유래한 열쇠구멍 형태의 친환경 정원.

해결해야 하는데, 힘들고 귀찮은 일입니다.
낯선 사람들 같은 경우는 더 그렇죠. 저희는
습관이 돼서 괜찮은데 도시에서 오신 분들은
힘들어하십니다. 불편하더라도 저의 고민은 물을
덜 쓰고 싶다는 것이었습니다.

여기서 나온 것은 퇴비장으로 갑니다. 퇴비로
만들어 텃밭에 사용합니다. 톱밥, 왕겨, 재 등을
쓰면 배변인지 모를 정도로 냄새와 형태가
변합니다. 제가 퍼머컬쳐와 귀농을 통해 눈으로만
봤던 것을 실제로 해보면서 많이 배웠습니다.
2~3년이 지나 익숙해졌지만 처음 하면 쉽지
않으실 거예요.

집도 가능하면 판넬을 사용하지 않고 나무와 흙을
사용하고 싶어 황토를 썼습니다. 친구나 외부
손님이 오면 좁아서 불편할 수도 있지만 좋은
점도 있어요. 갈 곳이 없어 계속 이야기를 하게
됩니다. (웃음)

또 집, 정원, 생태 화장실의 관계성을 고민하기도
했습니다. '동애등에'라는, 파리보다 조금 길쭉한
벌레가 있어요. 우리가 배변을 하면 원래 삼각형
모양인데 다음날 평평해집니다. 그러면 이 벌레가
알을 까며 분해합니다. 음식물 쓰레기 분해를
위해 동애등에를 많이 활용하더라구요. 이렇게
애벌레를 넣어 쓰레기를 퇴비로 활용하는 곤충
산업이 있다는 것도 배우게 됐습니다.

제로 물리적인 공간이 좁다고 말씀하셨지만, 집이
닫혀진 공간이 아니라 생태계의 공간으로 열려

2019년 영광, 작은 집 짓기

있어 확장된 집이라는 생각이 듭니다. 만들면서
인상 깊었던 부분과 예상과 달랐던 부분이
있었나요?

영주 처음 디자인할 때 즈음의 이야기입니다. 저희
집에 가장 많이 오는 새가 물까치예요. 물까치는
가족끼리 움직입니다. 다른 새나 고양이가 오면
소리를 내서 쫓아냅니다. 포도나무 덩굴 쪽에
고양이가 나타나는데요. 고양이는 오른쪽에서
왼쪽으로 움직이고, 새들은 대나무숲에서
오른쪽으로 움직입니다. 개들은 왼쪽에서 우리
집을 둘러보고 똥을 싸고 갑니다. 두더지는
구근류 알뿌리 같은 걸 좋아해서 왼쪽
아래쪽에서 왔다 갔다 합니다. 그걸 보니 화분을
옮겨야겠다는 생각이 들어서 아내와 상의를 해서
곧 옮길 생각입니다. 둘이 사니까 둘만의 관계만
생각했다가, 주변의 동물들을 알게 되었어요.
동물들과의 관계를 배려하고, 서로 부딪히지 않게
하면 좋겠다는 고민이 들었는데, 이론상으로만
알던 것을 살면서 하나씩 배우게 됩니다.

제로 장독대는 무엇인가요?

영주 저장고 개념입니다. 생태 부엌이나 생태 저장고는
추후에 만들 예정입니다. 온실도 생각하고 있어요.
집 뒤 빨간 지붕 건물을 지금은 창고로 쓰고
있는데 철거하고 만들 예정입니다. 그럼 겨울에도
가드닝이 가능하겠죠.

제로 시간의 축적처럼 공간이 쌓이고 변형되는 게
재밌습니다.

영주 사과 나무를 심어도 당장이 아니라 삼사 년 이후를
예상하고 심는 것처럼, 환경과 경제, 시간을
감안해서 생태 부엌이나 온실도 만들 겁니다.
죽을 때까지 안 만들어질 수도 있다는 점이
재미있고요. 나이가 들면 어떻게 살아야 하는지
고민하게 된다는데, 할 일이 많아서 고민이
줄었습니다.

제로 듣다 보니 물리적인 건축이 아니라 정원에 흥미가
가는데요. 계절적으로도 변화가 일어나고
누군가가 자연스럽게 오고 가는 이 공간에서,
가장 애착이 가는 곳이 있다면요?

영주 집 뒤 창고입니다. 장인 어르신이 제공해 주셨고, 집을 짓기 전 겨울을 났던 곳입니다. 텐트와 온수 매트를 펴고 잤어요. 이 공간에서 지내면서 가장 힘들었던 기억이 있어요. 그때는 화장실도 없고 씻을 장소도 없어서 그냥 보일러도 안 되는 그 허름한 창고에서 봄부터 눈에 보이는 것들을 2~3년 동안 천천히 만들었습니다. 창고 안에서 이 집을 짓기 전까지 계속 아내와 함께 지냈기 때문에 애착이 가요. 나중에 온실로 만들게 되면 내부도 보여드릴 수 있을 것 같네요.

제로 온실이라 하면 보통 비닐하우스 생각이 나는데요. 어떤 온실이 될지 궁금합니다.

영주 비닐은 몇 년 지나면 못 쓰기 때문에 유리로 할 계획입니다. 그런데 유리가 비싸서 건축적으로 해결해야 할 것 같아요. 남쪽으로 들어오는 빛만 받으면 되기 때문에 그쪽만 유리로 하고 나머지는 다른 자재로 할까도 생각중입니다. 축열이 가능한 자재들을 내부에 준비해서 해가 진 이후 공기가 차가워지면 발열을 할 수 있도록 고민하고 있습니다.

제로 이러한 삶을 실험하게 된 계기가 궁금합니다.

영주 아마 탁발 순례를 했을 때인 것 같습니다. 2010년에 도법스님과 김민해 목사님, 여러 수녀님들과 강원도 순례를 했었어요. 얻어먹고 얻어 자면서 생명 평화 탁발 순례를 50일 동안 하며 기존의 생활과 사고를 전환하는 큰 계기가 됐습니다. 그 이후 시골에 가서 농사 짓고 살아야겠다고 생각했습니다. 2008년 강원도 횡성에서 농사를 짓기 시작했고, 활동을 시작했습니다. 제가 잘나서 잘 사는 것이 아니라는 것을 느꼈습니다. 아주 단순한데 보통 모르거나 외면하는 사실들을 깨달았습니다. 그 이후에는 생활이 많이 바뀌었습니다. 차 없이 걸어다니고 휴지를 안 쓰고 물건을 거의 사지 않았습니다. 횡성에 가서는 낮에는 농사 짓고 밤에는 공부방에서 아이들과 놀았습니다. 너무 즐겁고 재미있어서 아내에게도 제안을 했고 그 이후로도 시골에서 살고 있습니다.

두 번째 전환은 우프*WWOOF*의 경험입니다. 우프는 유기농 농가에 방문해 농사, 요리 등의 일손을 돕고 숙식을 제공받는 프로그램입니다. 적은 비용으로 그 나라를 여행하거나 체험할 수 있습니다. 보름에서 서너 달 정도 생활을 같이 하며 그 나라를 온전히 체험하고 지낼 수 있습니다. 국내에서 활동하다가 일본이나 대만 친구들도 비슷한 고민을 이미 하고 있었던 것을 알게 되고 기뻤습니다. 이렇게 사는 것이 썩 나쁘지 않구나 라는 생각이 들었습니다. 이런 생활을 혼자 오래 하면 생각의 사고가 좁아집니다. 조직 활동은 많이 안 했기 때문에 서로 고민을 나눴습니다. 일본에서 만난 분들과는 3~4년 동안 만나며 유기농 농사와 여러 마을 활동으로 이어졌습니다.

제로 청년 공동체와 같은 형태로 계속해서 관계를 이어나가신 것인가요?

영주 처음에는 농사가 짓고 싶었습니다. 그런데
2~3년 뒤, 멧돼지가 한번 내려와서 옥수수밭,
감자밭 한번 뒤집어엎으면 투입된 것들이 다
날아가버리고, 제초제나 비닐도 안 쓰며 천 평
농사를 혼자 짓다 보니 몸도 힘들고 소득도 없고,
농사에 대한 근본적인 질문이 생겼습니다.
나중에 청년 허브와 연계 사업을 하면서 친구
세 명과 함께하게 되었고, 혼자 고민하지 않고
친구들과 같이 해보면 어떨까 하는 생각이
들었습니다. 그 이후에는 자신감이 생겼고,
'○○ 없이 해보기' 같은 프로젝트를 하나씩
만들어갔습니다. 우프도 사실은 돈 없이 여행 가는
것도 가능하지 않을까 하다가 알게 되었습니다.
강원도에서는 세 친구와 탄광에 들어가는 피죽을
얻어와서, 정선에서는 읍내의 가옥 철거 자재를
가져와서 집을 지어본 경험이 있습니다. 돈이
없지만 그래도 여행도 가고 집도 지을 수 있다는
걸 실험하게 되었죠.

제로 탁발 순례는 어떤 계기로 가게 되셨나요?

영주 대학원에서 사회학을 공부했지만 뭔가 해소가
되지 않았습니다. 실제로 세상이 돌아가는 이치나
진리가 있는데 그것을 외면하고 다른 것만 봤던
것 같습니다. '나'라는 존재에 대한 탐구나 실험이
아니라 사회 개혁이나 운동처럼 대상이나 조직을
바꾸고자 했는데요. 내가 앞으로 어떻게 살고자
하는지 깨닫지 못한 상태에서 다른 것들을 쫓아

다니다가, 간디*Mahatma Gandhi*나 스콧 니어링*Scott Nearing* 책을 보기도 했습니다. 그런 책들을 읽으면서 계속 걸었습니다. 순례 가기 전부터 걸었어요. 종일 걸으며 길을 잃기도 하고 산에서 떨어진 밤을 주워 먹기도 하고, 그런 생활을 계속했습니다. 그러다 탁발 순례를 보니 돈도 들지 않고 사람들과 이야기도 할 수 있겠다는 생각이 들었습니다. 이후로는 운동 방식도 바뀌었죠. 조직이나 거대 담론보다, 나부터 바뀌어야 되겠다는 것으로.

제로 화덕이나 가구 등을 직접 제작하셨는데 제작에도 원래 관심이 있으셨나요?

영주 전공은 그런 쪽으로 가지 않았으나, 어릴 적부터 관심이 있었습니다. 살면서 필요한 것들이 도시에서는 쉽게 충족되지만, 시골은 그렇지 않았어요. 돈을 많이 지불해야 되거나 아예 구할 수 없는 경우도 많았습니다. 2박 3일 건축 수업, 일주일 수업이나 보름 정도 캠프에서 배운 제작 기술들로 집까지 짓게 되었습니다. 화덕을 처음 사용할 때는 나무를 무척 많이 사용했지만, 기술이 생기니까 나무를 아끼면서 따뜻하게 지낼 수 있었습니다.

제로 숲에 들어가서 함께 사는 연습을 하셨다고 들었습니다. 아무것도 없는 상태에서 출발하는 경험은 어떤 경험이었나요?

영주 넥스트 젠 코리아*Next GEN Korea*라는 단체가 있습니다. 생태마을 네트워크 활동을 주로

2018년 전라남도 영광 생명평화마을에서 열린 〈있/없는 잔치〉에 참가한 사람들

하는 20~30대 친구들입니다. 관련 활동을 하다 자연스럽게 만나, 저도 활동가로 1년 정도 함께했습니다. 생태마을에 관심이 있는 친구들에게 제가 가지고 있는 집 짓는 기술, 화덕 기술을 공유했습니다. 넥스트 젠 코리아와 진행한 공동체살이 〈있ㅅ는 잔치〉는 숲에 가서 규칙 없이 있는 재료를 활용해 보는 프로그램입니다. 생소하지만 재미있고, 각자 가지고 있는 기술을 공동체를 위해 씁니다. 조직보다는 네트워킹 활동이고요. 뭔가를 하려면 최소한의 예산이 필요한데 목공 같은 경우는 농민분들께 얻어 쓰기도 했습니다. 경제적인 부분을 해결할 수 있으면 지속할 수 있지 않을까라고 생각하지만 아직 해결되지 않은 부분입니다.

제로 동아시아의 친구들과도 공동체 활동을 하셨는데, 그 경험도 들려주시면 좋겠습니다.

영주 보시는 사진은 일본 구마모토에 있을 때입니다. 한국, 일본, 중국 친구들이 모여서 공연도 하고 토론도 했는데요. 후쿠시마 대지진 이후 동일본 쪽에서 규슈 쪽으로 이동한 친구들이 많았습니다. 동아시아 친구들이 질문을 던지고 모둠별로 모여 이야기를 하는 이 활동은 3~4년 정도 지속된 활동이었습니다. 대표적인 활동이 한중일과 대만을 포함해서 안전한 커뮤니티를 만들자는 제안이었습니다. 동일본을 떠나 일부는 부산이나 경상도로 이주하기도 하고, 코로나로 일본에 있던 친구들이 한국으로 재난 이주를 하기도 했습니다.

중국 황해 쪽의 핵발전소가 폭발하면 한국 또한 이주를 해야 하는 상황이 옵니다. 한국을 벗어나 안전한 커뮤니티를 실제로 만들어보자는 제안이 나왔습니다. 그래서 돈을 쓰지 않고 서로 필요한 물건을 교환하는 〈표주박 시장〉을 만들었습니다. 3개월 정도 실험을 했고, 2016년에 제안해 2019년 연말에 〈표주박 시장〉이 열렸습니다. 의미 있는 제안이 세 나라의 커뮤니티 활동을 통해 코로나 전까지 지속되었죠.

한국에서는 불음도에서 〈표주박 시장〉을 진행했습니다. 외부에서 물건을 사서 들어오는 게 아니라 현장에서 물건을 교환하는 게 원칙입니다. 계획이 없는 것도 원칙입니다. 그러면 필요한 것만 사게 되는데, 숲이나 섬에 들어와 보면 기반

147

시설이 없어 화장실 같은 기본 시설을 만들게
됩니다. 불음도라는 섬과 남원 삼내면에서는 이미
활발한 활동이 이루어지고 있었습니다.
〈있스는 잔치〉는 2018년에 영광에서 나흘간,
2019년에는 영덕과 서울에서도 한 달 정도,
여러 곳에서 진행했는데요. 확장해서 일본
미야자키에서 3개월 동안 〈표주박 시장〉을
기반으로 공동체 실험을 했습니다. 계획을 미리
세우지 않고도 의식주를 해결하며 사는 과정에서
문제를 해결해야 한다고 인식하고 새롭게 법칙을
만드는 것입니다. 이런 경험을 한 후, 각자 자신의
나라로 돌아가 확산되도록 했습니다.
공동체 난민들의 연대와 실험도 주로 이런 흐름과
맥락 속에 있습니다. 제가 일본에 우프 여행을
갔을 때입니다. 유럽이나 호주에서 온 친구들,

2017년 전라북도 정읍에서 열린 〈있스는 잔치〉

그리고 야마구치 지로 씨 부부와 아이들 세 명이
있었는데요. 3월부터 지로 씨 부부 집에서 우프
활동을 했는데 전기를 잘 안 쓰는 집이었어요.
오프그리드off-grid로 화덕에서 밥을 먹고 바깥
난로에 빵을 구워 먹었습니다. 목욕을 할 때는
태양열을 이용해 커다란 가마솥에 불을 때서 물을
데웠습니다.

그런데 새벽에 지진이 나면서 다카모리 초등학교
교실에 온 마을 사람들이 대피했습니다. 전기와
수도가 끊겼어요. 기본적인 삶이 다 끊기게
되었지만 지로 씨 부부의 집은 이미 오프그리드
활동이 가능했고, 전환마을 운동도 하고
있었습니다. 생태마을 운동이나 토종 종자 운동을
미나미 아소 지역에서 하고 있었던 것입니다.
여진까지 합하면 600~700번 가까이 지진이

2021년 구례, 〈지리산 게더링〉 캠프에서 생태부엌을 만드는 사람들

일어납니다. 저는 일주일간 버티다 구마모토시로
탈출했습니다. 지진과 오프그리드 중심의 경험을
통해, 어떻게 재난을 극복하는지, 개인이 극복하는
것도 중요하지만 훈련된 공동체가 극복하는
것이 어떻게 가능한지를 보게 된 것 같습니다.
방송과 통신이 끊어지면서 정보가 제한되면, 도로
상황이나 학교 운영 상황을 보여주는 대자보를
활용합니다. 단수로 목욕을 못 하게 되면 무료로
가능한 곳을 써 붙이며 서로 정보를 공유했습니다.
재난 환경 속에서도 커뮤니티를 만들어가는
모습을 볼 수 있었습니다.

제로 오프그리드, 전환마을 운동 같은 단어를 조금 더
설명해주실 수 있을까요?

영주 오프그리드는 쉽게 '나는 자연인이다' 같은
삶이라고 생각하셔도 좋습니다. 다만 상대적인
것이라 조심스럽습니다. 전기를 쓰지 않는다고
이야기하면 핸드폰은 어떻게 하지? 하는
생각이 들죠. 전자 제품이나 전기 에너지를
전혀 쓰지 않는다기보다는 자연 에너지를
쓰는 것을 우선하는 것입니다. 물론 본인의
노동력도 포함입니다. 전기나 전자 제품을 쓰지
않고 태양열, 태양광, 바이오 에너지를 이용해
생활하고, 집도 직접 지어 집에 들어간 에너지
또한 자연 에너지로 사용합니다. 저는 라이프
스타일 개념으로 바라보고 있습니다. 핸드폰이나
노트북을 사용해도 오프그리드 취지에 공감하면
가능하다고 생각합니다. 지로 씨 부부 역시

야마구치 지로 씨 가족의 화덕

세탁기도 사용하고 티비도 봅니다. 그러나 전기가
안 나오거나 물이 안 나올 때 대체재가 있어야
하는 것입니다. 전기 밥솥은 못 쓰더라도 난로나
화덕 사용이 가능한 것이죠.

전환마을은 영국 토트네스에서 비롯되었다고
알고 있습니다. 서울 은평구도 전환마을을 선언한
걸로 알고 있습니다. 좁게 말하자면 생태마을
운동과도 비슷하고, 퍼머컬쳐를 실현시키기
위한 운동입니다. 많은 인원수가 필요하거나
법적인 인정을 받아야 하는 것은 아닙니다. 서너
명의 퍼머컬쳐 디자이너가 모이더라도 생태
순환적 라이프 스타일을 만들어 마을 공동체로
확산하면 됩니다. 지역 내에서 농사를 짓고, 지역
내에서 소비하는 것, 에너지 전환 운동, 종자 보존
운동 등 생태 순환 마을로 전환하는 운동으로
폭넓게 받아들입니다. 그 안에는 유기농, 에너지,
핵발전소 문제, 소비자 운동, 생협 운동 등도
포함됩니다.

제로 구마모토 지진이나 후쿠시마 지진 같은 것을
직접 겪으시기도 했고, 자본주의에 기대지 않는
독립적인 삶이 재난과 만났을 때 삶을 재건하는
힘이 되는 경험을 말씀해주셨는데요. 그곳에
잠재한 힘은 무엇일까요?

영주 가장 큰 것은 사람 관계 중심으로 사고하고
활동하도록 바뀐다는 것입니다. 단위 사업이나
프로그램 때문에 일을 하는 것이 아니라 관계의
연결로 일을 하게 되므로 그 사람에 대한

존중과 이해가 기본이 됩니다. 활동가로서
혼자 출퇴근하고 농사 짓고 트래킹하고
게스트하우스를 운영하며, 저는 주로 혼자
기획하고 활동했습니다. 그러나 혼자서는
불가능한 부분이 있다는 것을 깨달았습니다.
내가 잘나서 1인 활동가를 한 것이 아니라 그런
관계나 지역 네트워킹이 잘 되어있어서 혼자
활동할 수 있었던 것입니다. 일본에서 돌아와서도
느꼈습니다. 예를 들어 예술은 삶을 디자인하는
것이라고 생각하는데, 기술이나 능력을 가지고
있어서 혼자 내 삶을 디자인한 것이 아니라 주변
공동체의 도움이 있어서 그런 기술과 능력을 얻을
수 있었다고 생각합니다. 삶 속에서 그 과정이
계속 형성될 수 있도록 제 태도를 바꾸었고, 지금
하는 문화도시 사업 또한 그런 의미에서 제가
배운 것들을 적용할 수 있었던 것 같습니다.
제 활동들도 다양하게 변해왔습니다. 그러한
변화에 대해 단정적으로 원인과 결과로
이야기하기는 어렵습니다. 몸으로 하는 일이
대부분이기 때문에 건축 같은 것은 힘들기도
했습니다. 일본에서 재미있던 것은 온갖 인간
군상을 다 만났다는 것입니다. 똑같이 생태에
관심 있는 친구들이 모인다고 해도 관계가 안
좋아지기도 했습니다. 그러나 그 안에서 다
풀립니다. 그때 에너지가 좋아지면 또 다른
장소로 이동하고, 에너지가 멈추면 돌아가기도
하고요. 지금은 코로나로 인해 실제로 접촉하고

이야기하지 못하지만, 페이스북이나 음성통화로 안부를 전하고 그들의 글을 보기도 합니다. 지금도 에너지는 오가고 있다고 생각합니다.

제로 재난이 기술 실천을 만났을 때 오히려 삶의 기반이 되기도 했는데, 그런 데서 기술뿐 아니라 삶에 대한 가능성도 느끼실 것 같습니다. 코로나와 기후위기 시대에 어떤 의미나 가능성이 있다면 무엇일까요?

영주 동아시아로 제한된 지진과는 달리, 코로나 이후 위기는 전 세계 누구나 느끼는 것입니다. 한국 사회도 양극화나 지역 소멸 문제가 크기 때문에, 예전과 같은 공동체가 없어지고 홀로 어르신이 늘거나 젊은이가 없는 상황을 상상해볼 수 있습니다. 재난을 통해 나 자신의 실체를 알게 되는 계기가 되지 않을까 합니다.

재난 시대의 사회적 담론들은 세월호처럼 구조적이고 서사적인 큰 사고를 겪고 나면 무언가 바뀌어야 한다고 이야기하지만, 정작 무엇이 변화했는지 모르겠습니다. 재난 상황 속에서 각자도생하는 사람들은 그나마 여건이나 처지가 되는 사람들일 텐데, 한국 사회에서는 그런 이야기를 꺼낼 수조차 없는 사람들도 많다고 생각합니다. 을 중에서도 을의 을에 해당하는 사람도 있습니다. 예를 들면 고창에는 외국인 노동자분들도 많으십니다. 그런 분들께 각자도생이라는 것이 가능할까요? 그런 점을 돌아보게 됩니다. 오히려 거대 담론이나 구조에서

빠져있는 것을 발견하는 데서 의미를 찾을 수
있을 것 같습니다.

제로 감염이나 환경에 대한 이야기들도 규모와
실천에 있어서 인식이 다양해질 필요가 있을
것 같습니다. 꼭 하고 싶은 질문을 하나만 더
드려보면, 전에 쓰신 글에서 '일'보다 '생활'이
중요하다고 표현하신 적이 있는데, 제로의 예술이
처음 기획할 때 했던 생각과도 교차하는 지점이
있는 듯합니다. 문화예술 안에서 무언가를 남기고
만드는 것이 아니라 과정을 탐구해보려는 노력을
하고자 했는데요. 생활이 더 중요하다고 하신
것은 어떤 뜻이었나요?

영주 제로의 예술이 전시의 계획 단계부터 전시 후의
재활용까지 고민하는 것을 관심 있게 보았습니다.
저는 제로를 0이 아니라 가득 찬 의미의 제로로 볼
수 있다고 생각합니다. 제가 말씀드린 생활도 그런
의미가 있습니다. 일에는 목적이 있습니다. 그러나
생활에는 목적이 없습니다. 일에서는 무언가 끝이
있고 승자와 패자가 있는데, 생활은 누구나 하는
것입니다. 생활로 돌아오면 많은 것의 본질이
드러나고 훨씬 치열함이 있다고 생각합니다.
비어있는 것은 채워져있는 것과 동일한 것이
아닐까요.

필패하는 말과
토대 없는 믿음

안팎

프롤로그

지난여름, 열다섯 해 가량 산 서울을 떠났다. 아무런 연고 없는 소도시, 시가지 끄트머리의 낡은 아파트로 이사했다. 길을 건너면 논밭이 있고 조금 더 가면 산이 있는 곳이다. 처음으로 한 대화는 이삿짐을 부리던 중에 마주친 위층 주민과의 짧은 인사였다. 음식을 주문하거나 값을 치르는 경우를 빼면, 두 번째 대화는 인터넷 회선 설치 기사와 했다. 내 신분증에 주소가 서울로 되어 있는 것을 본 그는 여기서 일자리를 구하기 힘들 거라고 말했다. 주로 집에서 일해서요, 하고만 답했다. 일하지 않는 날이 더 많다는 말은 굳이 하지 않았다. 위층 사람은 아파트의 길고양이들을 돌보느라 현관 앞에 있을 때가 많아, 집을 드나들며 거의 매일 마주친다. 종종 궁금해진다. 매일 다른 시각에 집을 나서는 나를 보며 그는 어떤 생각을 할까.

편의점이 24시간 영업하지 않고 식당이나 카페가 새벽까지 장사를 하지 않는 것은 물론, 일요일이면 일제히 문을 닫는 동네다. 제때 사 먹든 사두든 해야 한다는 뜻이다. 매일같이 귀찮다고 끼니를 미루다 자정이 지나 밥을 사러 나가는, 서울에서와 같은 생활을 하기는 힘들다. 그때나 지금이나 규칙적으로 출퇴근할 필요가 없는 삶을 살고 있지만 전처럼 시간을 온전히 마음대로 쓰지는 못한다. 늘 밝던 서울의 거리와 달리 이곳은 밤낮의 구분이 분명하므로 남들 자는 시간에 나는 깨어 있다는 사실을 그야말로 매일같이, 실감하기도 한다. 타인들이 살아가는 시간표를 전에 없이 의식하고 있다.

물론 소위 '쳇바퀴 돌듯 돌아가는' 규칙적이고 반복적인 하루하루를 사는 사람이야 서울에 훨씬 많지만, 그러므로 서울에서도 내 생활은 표준과는 거리가 멀었지만, 적어도 서울에서는 비슷한 생활을 하는 이들과 어울렸다. 지금은 그런 완충지대 없이, 접점 없는 타인들의 시간표에 둘러싸여 있다.

식당이나 카페의 점원들은 시간 맞춰 출퇴근을 하고, 나와 마찬가지로 평일 낮에 카페에 앉아있는 이들은 수험생이거나 영업사원이거나 학부모다. 이어폰을 끼고 동영상 강의를 듣고 있는 이 옆에 앉아서 상품을 홍보하거나 자녀 교육을 고민하는 목소리들을 흘려들으며, 나는 장애니 퀴어니 예술이니 하는 글들을 읽고 쓴다. 이 글을 쓰는 지금도 마찬가지다.

바깥의 삶

아주 가끔씩, 아무런 공통점도 없는 삶을 사는 사람과 말을 섞을 때만 가까이서 느끼던 것을, 역설적이게도 아무도 만나지 않는 요즘 늘 체감한다. 틀 바깥에 살고 있다는 감각. 물론 나의 삶을 설명하는 것은 어렵지 않다. 글 쓰는 사람이라고만 해도 대개는 넘어간다. 필요하다면 예술 공부하는 대학원생 같은 말로 대신해도 좋다. 일하지 않는 날, 혹은 아무 돈도 되지 않는 일을 하는 날이 얼마나 많은지까지 말해버리면 조금은 복잡해지지만 딱 그 정도다. 노년인 위층 주민이 종일 집 앞에 머물며 고양이 밥을 주는 것과 '한창 일할 나이'인 내가 종일 길 건너 논밭을 산책하는 것은 의미가 다르다. 내 삶의 자리는 인정받는 바깥, 이를테면 치외법권 같은 곳이다.

　"글 쓰는 사람이라니 밥벌이에 불성실할 법도 하다"는 말은 큰 어려움 없이 성립할지도 모른다. 그러나 그렇지 않은 바깥이 있다. "성소수자라니 이성애의 질서를 따르지 않을 만도 하다"는 말이나 "여성이 아이를 낳지 않을 수도 있다"는 말은 어떤 이들에게는 언어도단이다. 정해진 순서대로 교육을 받고 취직을 하고 아이를 낳아 기르는 시간표 바깥의 삶은 제대로 된 삶으로 여겨지지 않는다. "중증장애인이 시설이 아니라 자기 집에서 살 수 있다"는 말이나 "노동자가 경영에 개입할 수 있다"는 말 역시 말도 안 되는 소리다. 선언하는 문장을 만들 수도 구구절절 설명을 덧붙일 수도 있지만 그렇다고 설득력을 가질 수 있는 것은 아니다. 곡진하고 핍진하고 진실하고 생생한 묘사로도 얻을 수 없는 설득력이, "그래도 그건 안 되지"라는 한마디에는 너무도 쉽게 주어진다. 어떤 삶의 자리는 그저 표준의 바깥 혹은 제도의 바깥이 아니라, 언어의 바깥에 놓이는 자리다.

방금 나는 희랍어의 로고스^{logos}라는 단어를 생각하며 언어라는 말을 썼다. 언어와 이성을 동시에 뜻하는 단어다. 이성 혹은 논리에 부합하는 것만을 - 말도 안 되는 소리, 달리 말하자면 소음이 아니라 - 말로 인정하는 단어다. 이성. 논리. 이런 말들이 얼마나 비이성적이고 비논리적으로 쓰이는지를 굳이 길게 설명하지 않기로 하자. 신의 피조물인 인간은 응당 남녀가 교제하여 후손을 낳는 것이 신의 뜻이라는 비논리와 동물인 인간은 정신이 병들었거나 미숙한 상태가 아니라면 자신의 유전자를 남기려 하는 것이 본능이라는 논리는 얼마나 가까이 있는지. "세상이 원래 그렇다"는 말이 얼마나 쉽게 합당한 논거의 지위를 차지하는지.

그저 적당한 단어가 (아직) 없어서나 언로가
없어서가 아니라, 세상은 원래 그렇고 안 되는 건
안 되기 때문에, 어떤 삶들은 언어 바깥에 놓인다.
저 말들이 끝끝내 세계를 설득하는 데에 실패하고
언어도단에 말도 안 되는 소리로 그치고 마는 것은
발화자들이 언변이 없어서가 아니다. 특정한 논리를
상정하고 특정한 시간표만을 인정하는 언어 외의
언어가 애초에 없기 때문이다. 다시 말해 이는 저들의
실패가 아니라 오히려 언어의 실패다. 다만 역사는
승자의 언어로 쓰이고 따라서 언어는 실패를 자인하지
않을 뿐이다.

필패하는 말

언어 바깥에 존재하는 삶들의 말은 그러므로, 실패하지
않아도 패배한다. 예컨대 여성혐오라는 개념을
규정하는 데에 쓸 언어가 애초에 여성혐오적으로
구성되어 있다면 여성혐오라는 개념이 힘을
발휘하기는 쉽지 않다. 애쓰고 애쓴 끝에, 남성혐오라는
허구와 쌍을 이루어 겨우 사전에 오를 것이다. 이쯤에서
흔히 예술이 끼어든다. 시청각적인 자극을 통해서든
잘 구성된 서사를 통해서든 저 논리 너머에서 혹은 그
빈틈에서 일반적인 말과는 조금 다른 종류의 설득을
시도한다. 독특한 무언가나 훌륭한 전형을 만들 수
있다면, 그러니까 괴짜 예술가 동성애자나 선하고
지혜로운 장애인의 형상 같은 것을 매력적으로 만들 수

있다면 어느 정도를 확보해낼 수 있을 것이다. 인정받는 바깥을, 혹은 치외법권을.

　내게 글을 쓰는 사람이라느니 대학원생이라느니 하는 몇 개의 장치가 없다면 돈벌이를 좇지 않는 것도 결혼이나 출산 같은 과업을 수행하지 않는 것도 훨씬 더 설명하기 어려운 - 끝내 정당성을 인정받지 못할 것임에도 구구절절 설명해야 하는 - 일이 될 것이다. 아무리 공들여 만들어도 이 치외법권은 결국은 안과 밖을 가르는 울타리 너머에 있다. 저 동성애자는 언제까지나 괴짜 예술가여야 하고 저 장애인은 언제까지나 지혜롭고 선량해야 한다. 미쳤를 버릴 수 없고 선하기를 멈출 수 없다면 그 삶이 이성애 규범을 따라야 하고 시설에 머물러야 하는 삶과 얼마나 다를 수 있을까. 패배는 미룰 수 있을 뿐 피할 수는 없다.

　패배하지 않을 길, 크든 작든 승리하고 조금씩 안으로 파고드는 말 대신, 필패하는 말을 생각한다. 끝내 패배하리라는 의미에서가 아니라 오히려 패배하기를 의지意志한다는, 저 논리 속에서의 설득이나 승리를 시도하지 않는다는 의미에서의 필패하는 말. 성별이 다를 뿐 이성애자와 똑같은 사랑을 하는 존재가 아니라 이상하고 기이한 퀴어queer이기를 선언하는 동성애자가, 비장애인과 마찬가지의 성과를 이룰 수 있는 가치 있는 존재가 아니라 불구이기를 선언하는[1] 장애인이, 바로 이러한 패배를 감행한다.

---

1. 이 구절을 쓰면서 장애여성공감의 20주년 선언문 「시대와 불화하는 불구의 정치」(2018, https://wde.or.kr/20주년-선언문/)를 다시 읽었다. 이 단락 마지막 문장의 인용구는 이 글에서 가져온 것이다.

함께 바깥에 머묾으로써, "시대와 불화"함으로써 "새로운 시대를 예감"하는 선언들이다.

다시 한번, 예술을 떠올린다. 대개 '아름다운' 것들은 아니다. "'아름답고 고상한 것'은 관념적이어서 타락, 오용되기 쉽다."[2] 논리적이거나 세련되거나 우아하지 않은 것들, 시기상조인 것들이다. 명료하고 유려하게 말하지도, 날렵하고 부드럽게 움직이지도 못하는 몸들이 무대에 오르는 순간들이 있다. 비장애인의 세계에서 장애인의 몸이 충분히 준비하고 완벽히 연습된 상태에 이르는 것은 불가능하므로 이들은 언제나 시기상조인 상태로 무대에 오른다. 드랙 퍼포머들은 흔히 스스로를 성별화된 단어 – 퀸이나 킹 – 로 칭하면서도, 그리고 그 성별의 기호들로 자신을 치장하면서도, '충분히' 그 성별이 되기를 시도하는 대신 말도 안 되는 괴상한 모습으로 등장한다. 이런 무대들은 필패하는 몸짓이 여는 공간이다.

예술이라는 말을 좁은 의미로 쓸 필요는 없겠다. 축하할 만한 좋은 일 없이도, 축하할 가치가 없다고 여겨지는 바로 그것을 위해 축제를 여는

---

2. 정희진, 「표현의 자유와 표현하는 사람」, 《경향신문》, 2015.02.12.(https://www.khan.co.kr/article/201502122110505). 원문에서는 "것"이 아니라 "단어"다. '자유, 평화, 인권' 같은 추상적인 개념들을 가리켜 쓰인 말이지만 앞에서 언급한 '독특한 무언가나 훌륭한 전형'에 대해서도 똑같이 말할 수 있을 것이다. 이어지는 문장에 쓴 어휘들은 정희진이 제시하는, 소수자의 발화에 부가되는 요건이나 비난의 말들이다.

퀴어들이 있다.[3] 스스로 살아갈 능력을 증명하는 대신 "누구에게나 의존과 돌봄 없는 독립은 불가능하다"고 선언하면서[4] 시설을 떠나 자신을 받아들일 준비가 전혀 되어있지 않은 지역사회에서 살아가는 장애인들이 있다. 임신중지가 얼마나 불가피한지를 설명하며 이해를 구하는 대신 "우리의 임신중지를 지지하라"고 외치는 여성들이 있다.[5] 누구나 공감할 만한 강렬한 말을 찾는 것이 아니라 두려움 없이 필패하는 말을 던지는 것이 예술의 할 일이라고 한다면 이 모두를 포함해 말해도 좋을 것이다.

기존의 말과 비교되기를, 그것에 입각해 이해되고 판단되기를 거부하면서 이 말도 안 되는 소리들은 스스로 말이 된다. 장애인의, 여성의, 성소수자의 삶을 설명하거나 정당화하지 않고 그것을 그 자체 고유한 존재로서 무대에, 광장에, 거리에 올린다. 스스로 법칙을 수립한다는 의미 그대로의 자율^{autonomie}을 실천하는 것이다. 이 필패의 말은 바깥에 머물기를 고집하지만 그 바깥은 내부의 한가운데에 출현한다. 내부의 언어에, 심문에 한 마디 한 마디 답하기를 숫제 중단하고 겁 없이 자기만의 언어로 뜬금없이 말한다.

3. 퀴어문화축제를 두고 쓴 표현이다. 박종주(=안팎), 「'나중에'의 나라에서 지금 축제하기」, 《워커스》 47호, 2018(http://workers-zine.net/29441) 참고.

4. 「시대와 불화하는 불구의 정치」.

5. 모두를위한낙태죄폐지행동의 2019년 안전하고합법적인임신중지를위한 국제행동의날(09.27.) 기자회견 구호.

163

바깥으로서 내부에 나타나는, 비교의 준거 없는
자율적인 언어. 이런 표현이 무엇을 떠올리게 할까.
우선은 내가 떠올릴 수 있는 두 가지를 지워두고자
한다. 먼저, 지금 나는 예술을 삶을 연습하는 공간으로
여기는 것이 아니다. 외부의 기준을 잠시 치워두고
다른 무언가를 실험할 수 있는 공간으로서도, 안전하게
실패할 수 있는 공간으로서도 생각지 않는다. 물론
장애인의 속도로 말하고 움직일 때 얼마만큼의 생활이
가능할지 혹은 임신중지에 어떤 상황과 감정이
따를지를 상상하거나 실험하고 이를 근거 삼아 일상을
새로이 구성해볼 수 있을 것이다. 아무리 심각한 빈곤에
처하고 아무리 큰 후유증을 입어도 작품이 끝나면 그
또한 끝나므로 이 연습의 교훈을 노트에 적어두고
일상으로 돌아가 몸을 추스르거나 다음 연습을 시도할
수 있을 것이다.
　　하지만 이보다 중요한 것은 이러한 실천들이
그 자체로 한낱 소리나 몸놀림이 아니라 말로서
출현한다는 사실이다. 축제가 끝나면 돌아갈 고요하고
우울한 일상이 여전히 기다리고 있건 그렇지 않건
축제를 여는 순간 이 삶은 기념할 만한 것으로
선포된다. 시설폐쇄 정책의 수립은 요원하고 시설은
도처에 있으므로 누군가는 정말로 실패하고 시설로
돌아갈지도 모를 일이지만, 교육이나 교통이나 노동,
그 어떤 영역에도 충분한 인프라가 마련되어 있지
않으므로 괜찮은 삶이라기엔 한참 부족하겠지만,

지역사회로 나와 살아가기 시작하는 순간 자립생활은
어떤 의미에서든 가능한 것으로 증명된다. 예술이
패배를 의지하는 것은 예술이 패배 이후의 재시도가
허락되는 곳이어서가 아니다. 패배를 통해 무언가를
배울 수 있어서가 아니다. 점진적인 설득과 변화를 통한
승리를 포기함으로써만 가능한 실천 - 혹은 실현 - 이
있기 때문이다.

　　둘째, 설득을 시도하지 않으며 비교 불가능한
무언가라는 말이 재현 불가능성을, 나아가 궁극적인
소통과 이해의 불가능성을 시사하는 것으로 읽히지
않기를 바란다. 어떤 예술에 대한 감각을 소통할
언어는, 아니 그 이전에 그 감각을 구성할 언어는 이미
편향되어 있다. 그렇다면 그 오염 너머에서 고유한
무언가를 - 예술이 선언하고 실천하는 고유한 삶과
그에 대한 고유한 감각을 - 소통하는 것은 불가능해
보일지도 모른다. 다만 "그것은 고유하다"는 선언만이
정당하게 유통될 수 있을 것이다. 한번 더 의심하자면
그것이 정말로 고유한지조차 실은 알지 못한다. 그러나
나는 오히려 믿음을 생각한다. 합의된 바 없는 언어로
출현한 것이 미지의 삶을 재현할 수 있다는, 그 삶을
우리가 소통하고 이해하고 전달할 수 있다는 믿음.

　　이것은 토대 없는 믿음이다. 이성과 의지에 대한,
지금의 질서를 이루는 언어에 대한 근대의 믿음과
마찬가지로 토대 없는 믿음이다. 이성에 대한 근대의
믿음은 종종 확신에 찬 언어로 설파되지만 실은 이성
자체에 대한 앎이 아니라 그 너머를 알지 못하는
인간의 무능력에 기반한 믿음이다. 회의하는 나를

회의해도 여전히 회의하는 나이므로 생각하는 한 나는 존재한다고 믿을 수밖에 없다. 내가 자유로이 판단하고 의지한다고 느끼도록 신이 정해둔 것이라 해도 나는 여전히 자유로이 판단하고 의지한다고 느끼므로 의지를 빼놓고는 아무것도 생각할 수 없다. 그 무능력에 기초한 믿음이 만든 이 세계와는 다른 세계를, 또 다른 토대 없는 믿음에서 출발해 상상해본다.

우리가 소통할 수 있고 그로써 공동의 세계를 만들 수 있다는 믿음. 그러나 확신의 지위를 참칭하지 않을 어떤 믿음. 이성은 이미 완성을 위한 원리를 제 속에 품고 있으며 다만 실수를 피하기 위해 (실은 나와 동일한) 타인의 이성을 필요로 한다는 말을, 그렇게 상정되는 완성태를 믿지 않는다. 아무런 완성태도 상정하지 않으므로 끝내 완성될 수 없지만 애초에 그렇기에 불완전함이 문제되지 않는, 그로써 겁없이 의지하고 감행하는 실패를 믿는다. 단 하나라서가 아니라 무수하기에 고유한 말과 삶, 무수하기에 함께할 수 있는 고유한 말과 삶에 대한 믿음이다. 안전한 이곳에서 준비한 말로 세계를 설득해낼 수 있으리라는 확신과 끝내 아무것도 전하지 못하리라는 체념 사이 놓이는 이 토대 없는 믿음이야말로 우리가 기꺼이 실패를 감행할 수 있을 토대이다. 이것이 아마도 예술의 토대일 것이다.

이 글을 송고하고 나면 집을 나설 채비를 할 것이다.
30분쯤 걸어가면 – 물론 버스가 다니지만 배차
간격이 길다 – 고속버스터미널이 나온다. 노선은 딱
하나다. 이곳과 서울을 오가는 버스. 버스를 타고 두
시간을 가면 서울고속버스터미널에 도착한다. 다시
지하철이며 버스며를 타고 한 시간쯤 가서, 어느
전시장에 이를 것이다. 이곳에도 작가나 문화공간이나
문화재단이 (또한 시민단체나 활동가가) 있지만 내가
보고 싶은 예술, 이 글에서 말한 예술은 찾기 쉽지
않다. 지난여름 이래로도 내게 예술은 모두 서울에서
벌어졌다. 자주 서울에 다녀온다. 심지어는 여기서 읽는
책조차도 모두가 서울에서 나온 것들이다.

　　서울 숙소에서 내다보는 창밖은 이곳과는 달리
밤에도 밝을 것이다. 숙소를 나서면 밤에도 일하거나
놀거나 배회하는 사람들을 마주칠 수 있을 것이다.
나의 시간표가 타인들의 것과 얼마나 다른지를 잊고
말 것이다. 이것은 착시다. 매일 밤 꼬박꼬박 출근해
자리를 지키는 이의 밤이든, 아침에 출근하지만 하루가
멀다 하고 야근하는 이의 밤이든, 내킬 때 깨고 내킬 때
잠드는 나의 밤과는 다르다. 그 사실을 망각할 때에만
나는 그곳에 녹아들 수 있다.

　　잊을 수 없는 또 한 가지는 '바깥'에 있기 위해
중심을 찾아가고 있다는 사실이다. 예술이 서울에서
펼쳐진다는 것은 내부의 한가운데에 바깥이 출현하는
게 아니라 내가 바깥이라 통칭하는 그곳마저 위계의

167

언어에 사로잡혀 있다는 방증일 뿐이다. 무해한
관객으로서 서울을 오가며 예술을 즐김으로써 나는,
실패를 감행하는 것과는 정반대의 방향을 향한다. 내가
숨어들 여지가 없는 이곳, 내가 바깥에 있음을 끊임없이
상기시키고 내부로 느껴지는 이곳이 실은 바깥이라는
사실을 생각한다. 이곳에 무언가를 출현시키는
일이 지금껏 한 말에 부합할 것이다. 혹은 내 한 몸
가벼이 다녀오는 것이 아니라 이곳을 통째로 서울에
출현시키기.

　　　이곳에는 내가 바라는 예술이 없다고 단언하는
것은 실은 섣부르다. 아직 제대로 살펴보지 않았다.
이곳을 통째로 서울에 가져가는 것 역시 그러므로
아직은 어렵다. 애초에 목적지가 서울인 것 역시,
어쩌면 그저 내가 서울에서 왔다는 점을 빼면 무의미한
구석이 있을 테다. 사람도 사건도 없이 고요하게 지내려
떠났다. 안전하고 간편하게 대화할 수 있는 친구들, 그
대화에 써먹을 수 있는 언어들, 그것을 가능케 하는
지위들을 두고 왔으므로 그 고요함이야말로 곧 더없는
소란이자 사건이 될지도 모른다. 느닷없이 살던 곳을
떠나 이곳으로 온 것은 내게 어떤 실패를 감행하는
시도이지만, 실은 아직 아무것도 시작하지 않았다.

나는 여기에서 안과 밖을 따질 위치에 있지 않다. 아직 아무런 실패에도 이르지 않았고 여기에 속해있지 않다.[6]

---

6. 이 글에 쓴 여러 어휘나 사고방식은 아마도
   임마누엘 칸트(Immanuel Kant), 자크
   랑시에르(Jacques Ranciere), 장 뤽 낭시(Jean
   Luc Nancy), 프리드리히 니체(Friedrich
   Wilhelm Nietzsche), 한나 아렌트(Hannah
   Arendt)의 글에서 배운 것이다. 일부는
   이들에게서 받아들였고 일부는 이들에게
   반발하며 쌓았다. 읽은 지 오래되어 기억이
   희미하고 이 글을 쓰면서 어느 하나 들추어보지
   않았으므로 따로 주석을 달 수는 없었지만, 여러
   의미에서 내가 어떤 언어 — 로고스 — 에 기대고
   있는지를 밝혀둘 필요가 있겠다.

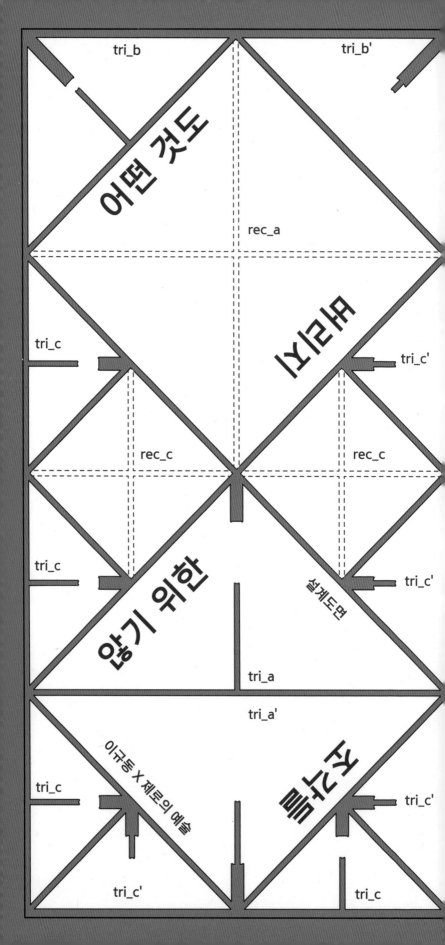

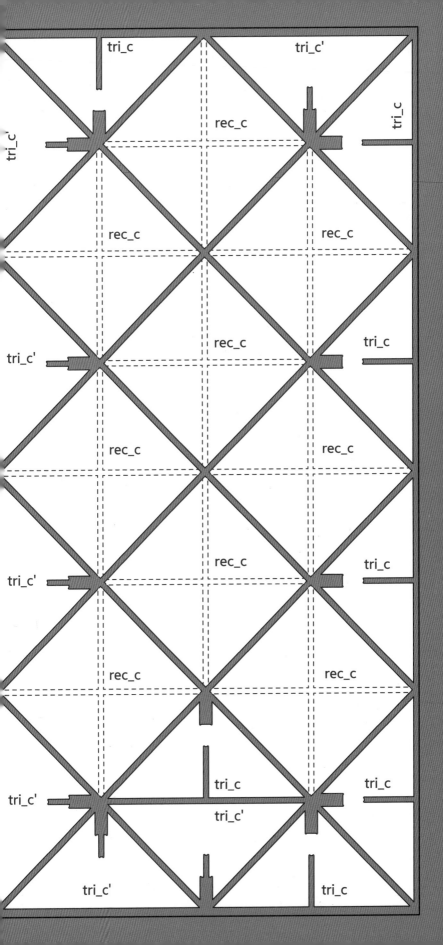

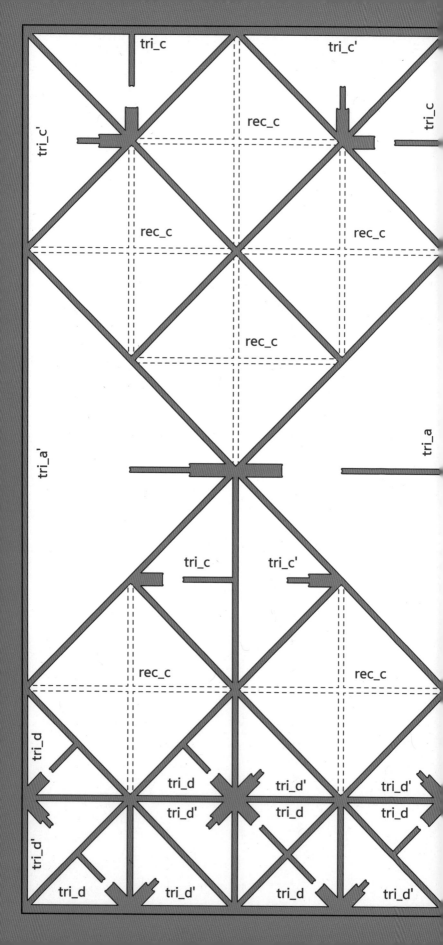

《제로의 예술》은 예술 내부의 문제들,
무엇보다 예술이 '공공성'을 대하는 태도를
자성적으로 돌아보며 예술 안의 여러 위계를 살폈다.
특히 〈우리는 오늘도 내일을 끌어쓴다〉,
〈박물관 미술관 동물원〉, 〈무엇을 무엇으로 만들까〉로
이어진 연속 프로그램은 비거니즘, 동물권, 생태,
기후위기에 대한 고민을 경유하며
재현의 대상과 방식, 창작 재료, 작품 수집의 역사 등
예술 수행 전 과정에서 의심 없이
취해온 폭력과 착취의 지점을 점검했다.
이 과정이 비판적 질문에 머무르지 않고
실질적 실천이 되고자 내부 워크숍-연구를 통해
〈비거니즘 전시 매뉴얼〉을 작성하고 공개했다.
전시를 하면서 당면하는 여러 결정의 순간에
환경에 덜 빚지고 종차별적 착취와
탄소 발생량을 줄이는 실천을 지향할 수 있도록
선택지를 제공하고자 했다.
환경적 요인이나 탄소 배출량이 작품이나 안전보다
매번 앞서는 기준이 될 수는 없겠지만,
주제나 맥락을 크게 해치지 않는다면
관성적으로 사용하는 재료와 방식을
과감히 바꿔볼 수도 있다.

예술 작품이 만들어지고 보여지는 과정 전체를
생각하면 '전시'는 부분에 지나지 않는다.
한정된 시간을 담보하며 실행되기에
짧은 시간을 위해 사용하고 버려지는 자원이
더 많을 수 있다. 전시의 공간디자인을 위한 가벽 등
구조물의 숙명은 특히 그러하다.

환경에 덜 빚지는 최고의 방법은
'적게 버리고 최대한 다시 쓰는 것'이다.
〈비거니즘 전시 매뉴얼〉의 일례로
〈어떤 것도 버리지 않기 위한 조각들〉
(협력 디자인 : 이규동)을 소개한다.
하나의 나무판에서 버려지는 부분이 없도록
모듈 형태로 고안하여 재단한 것으로,
가벽, 좌대, 가구 등으로 자유롭게 조립되고 확장되며
재사용이 용이하다.

rec_a + (tri_a+a')

rec_c + (tri_c+c') + (tri_d+d')

22rec_c + 22(tri_c+c') + 6tri_d

rec_a + 2(tri_a+a') + 2(tri_b+b')

rec_c + 2(tri_c+c')

이것은 상상력의
싸움이다

- 기후위기 시대의 예술과 정치

채효정

상상력의 고갈

지구를 떠날 때를 상상해본 적이 있다. '대안사회 구상하기'라는 대학 교양수업에서였다. 더 이상 지구에서 살 수 없게 되었을 때, 다른 행성으로 이주하는 지구인은 뭘 갖고 가야 할까?

대부분의 학생들은 처음에 '생존 도구'를 고른다. 나침반, 물, 성냥, 시계, 손전등, 침낭, 비닐, 정수 키트 등등. 떠올릴 수 있는 모든 종류의 생존 키트 물품들이 줄줄 나온다. 그러나 그 생존 도구들이 모두 지구라는 조건과 결부되어 있음을 곧 알게 된다. 마치 난민 보트에 오르는 사람들처럼 우리는 필요한 물건을 가방에 넣었다 뺐다 반복하다 최종적인 결정을 내린다. 그런데 거기에 이르는 과정이 흥미롭다. 때로는 예상 경로를 벗어나기도 한다. 지구 밖으로 이주하는 사람들은 평소의 이삿짐처럼 짐을 쌀 수는 없다. 그곳은 전혀 다른 곳일 테니까.

학생들의 전공 분야에 따라 상상력이 다르게 발휘되는 것도 흥미롭다. 첫 번째 생존 키트 단계에서 가장 활발하게 의견을 내놓는 이들은 이공계 학생들이다. 주로 과학기술적 근거가 제시된다. 그러나 우리가 도착할 곳이 어떤 곳인 줄 어찌 아는가? 우리는 곧 기술적 한계를 깨닫는다. 곧이어 '개인적 차원의 생존'이 근본적으로 불가하다는 사실도 깨닫는다. 물을 만들 수 있다고 해도 그 물을 혼자서 마실 수 있을까? 침낭을 갖고 가도 혼자 덮을 수 있을까? 도둑을 신고할 경찰도 없는데, 우리는 어떻게 해야 서로가 서로에게 적이 아니라 친구가 되어 길고 불안한 여행을 할 수 있을까? 경찰을 데려가겠다는 말에 와하하 웃음이 터졌다가 갑자기 무서운 침묵이 덮친다. 군대와 경찰이 떠오르는 순간, 미지의 세계로 떠나는 우주여행처럼 약간의 재미와 흥미를 더하여 상상했던 우리의 여행은 산산조각 나고, 우주선은 난민 보트로 바뀐다. 우리가 의존했던 제도적 안전함에 대한 믿음도 웃음과 함께 거품처럼 꺼진다. 어떤 사람이 우주선의 탑승자로 선별될 것인가? 1퍼센트를 위한 우주 파라다이스에 당첨된 이들일까? 아니면 어디서 우주 쓰레기로 버려져도 상관없을 99퍼센트의 사람들일까? 누가 남고 누가 떠날 것인가는 정치적인 문제다. 누구를 남기고 누구를 구할 것인가는 권력의 문제다. 여기에 이르면 지금 일론 머스크$^{Elon\ Musk}$ 같은 부자들이 추진하는 우주 개발 프로젝트를 과연 '인류의 도전'이라 부를 수 있을까 회의하게 된다. 그런데도 그들은 자신이 기후위기 시대의 구세주인 것처럼 행세한다. 자본의 복음은 널리 울려퍼진다. 전기자동차와 신재생에너지 종목에 투자하라, 테슬라와 기술자본의 녹색기술에 투자하라, 그러면 너는 돈도 벌고 환경도 구하리라.

　　　어떤 학생들은 사용가치가 아니라 교환가치가 가장 높은 물건을 고르라고 조언하기도 한다. 사람들에게 가장 필요하지만 가장 희소한 것을 선택하라고. 일회적으로 소모되는 물건보다는 서비스를 통해 반복적으로 교환할 수 있는 도구가 유용하다고 한다. 생산물이 아니라 생산수단이 교환에서 우위를 점할 수 있다는 것이다. 자연 상태에서는 무기가 될 수 있는 도구라면 더 좋다. 이토록 합리적이고 냉정한 판단이라니. 갑자기 영화 〈스페이스 오디세이〉의 첫 장면 속으로 들어간 것 같다. 도구의 인간, 호모 파베르의 탄생을 알리는 그 장면에서, '제작하는 인간'이 최초로 사용한 도구는 다른 이를 죽이는 데 사용한 동료의 뼈다. 하지만 우리는, 태초부터 잔인했던 인간 본성을 상상하는 것과 전혀 다른 방식으로, 부러졌다 붙은 흔적이 남아있는 고대 인간의 넓적다리 뼈를 통해 상처가 아물 때까지 그를 보살펴준 돌봄의 인간을 상상할 수도 있다.

경영학이 전공을 막론하고 모든 대학생의 필수 교양이 된 시대니, 학생들을 탓할 수도 없다. 우리가 다 이렇게 배우고 가르쳐왔구나 싶다. '자연 상태'를 '정글'로 간주하고, 만인이 만인에 대해 야수인 곳으로 전제하는 건 정치학도 마찬가지다. 서로가 서로를 믿지 못하고, 힘센 자가 살아남는 약육강식의 세계. 호혜와 공생의 규칙이란 없는 것처럼 자연을 상상하고, 만물이 경쟁 속에서 진화하고 발전한다는 이 가설이야말로 깨트려버려야 할 낡은 신화일 것이다. 이 지구상에서 그런 곳을 찾으라고 한다면 고도로 합리화된 자본주의 사회가 아닐까? 레베카 솔닛*Rebecca Solnit*은 재난의 현장을 '정글'이 아닌 '유토피아'로 만든 사람들의 이야기를 전해준다. 사회 시스템이 일시적으로 마비된 재난 상황에서, 강압적 지배를 받지 않는 민중이 어떤 자치와 민주주의의 능력을 발휘하는지를 보여주는 사례는 무수히 많다.[1]

어쨌든 기존의 규범이나 제도가 무력화된 새로운 '자연 상태'에 떨어진다면 우리는 어떻게 행동해야 안전할 수 있을까? 종종 사회학적 상상력이 빛을 발하기도 한다. 낯선 사람들로 이루어진 작은 공동체 안에서 불신이 쌓이면 모두의 생존에 그만큼

---

1. 레베카 솔닛, 『이 폐허를 응시하라』, 정해영 옮김, 펜타그램, 2012.

위험한 건 없다는 걸 알게 된다. 모두가 함께 안전하게 살아남으려면 우리는 신뢰를 구축해야 하고, 적이 아니라 친구임을 보여야 한다. 도움이 도움으로 돌아오고 돌봄이 돌봄으로 돌아오는 선순환의 경로를 어떻게 만들 수 있을지를 생각한다. 친구임을 알려줄 수 있는 신호나 '선물'이 될 수 있는 작은 물건들을 챙겨가는 게 좋을 것 같다. 나는 다시 마음이 환해지는 기분이다. 그래, 새로운 별에서도 남을 등쳐먹고 내 배를 불리는 그런 세상을 만들 수는 없지. 지금 우리의 별을 더 이상 살 수 없는 위험한 곳으로 만든 것도 바로 그 각자도생의 원리가 아닌가. 그렇다면, 새로운 별에선, 공존의 삶을 가능케 할 새로운 관계를 찾아야 하지 않을까?

사실 이 토론을 통해 도달하고 싶은 결말은 행성 이주 계획을 수립하는 것이 아니라 '또 다른 지구'는 없음을 깨닫는 것이다. 다른 행성을 개발할 돈과 시간과 사회적 자원이 있다면, 그 모든 것을 지금 여기 우리가 사는 행성에 쏟아붓는 것이 더 희망적이라는 것을 깨닫는 것이 다분히 의도된 토론의 목표이기도 하다. 그러니까 우리의 목적은, '새로운 지구'라는 별로 귀환하는 길을 찾는 것이다.

삽질은 이제 그만

위기의 시대는 전에 없던 상상력을 고취하기도 한다. 거대한 행성이 지구에 충돌하는 상황을 가정한 영화

〈돈 룩 업Don't look up〉도 우리가 가정했던 것과 비슷한 상황을 상상한다. 그런데 영화 속에는 시시각각 행성이 지구를 향해 다가오는 시점에 '삽'을 파는 사람의 이야기가 나온다. 삽으로 구덩이라도 파서 살아남으라는 뜻이다. 살아날지 어떨지는 모르지만 말이다. 그 장면은, 문제를 전혀 해결할 수 없는 대안에 헛발질을 하는 온갖 행위를 '삽질'에 비유해 폭로한다. 그런 삽질은 현실에도 너무 많다. 지금 기업이 내놓는 대안들 대부분이 그런 삽질에 속한다. 전기자동차, 수소자동차를 비롯해서 온갖 종류의 '삽'들이, 과학의 언어와 기술혁신으로 그럴 듯하게 포장되어 재난 대비용 '구호 상품'으로 출시된다. 과학적 상상력은 지금까지 인류의 많은 문제를 예견하고, 해결에도 기여해왔다. 하지만 과학기술은 결코 중립적이지 않으며, 누구의 수중에 들어가느냐에 따라 상반된 결과를 가져왔다. 기술이 자본에 독점되고 무한한 탐욕을 위해 복무한다면, 최악의 결과를 예상해야 한다. 전 인류가 위기에 처해도 그 위기조차 돈벌이 기회로 삼는 자본가와 투자자들은 영화 속의 이야기만이 아니다. 지금도 공익 광고로 위장한 기업 광고는 한편으로는 기후위기의 심각성을 경고하면서 한편으로는 그것을 막는 상품을 판다. 그 상품들 대부분은 기후위기의 해결보다는 기후위기를 더 악화시키는 데 기여한다. 얼마 전 ESG[2] 경영을 내세운

2. 환경(Environment), 사회(Social),
    지배구조(Governance)의 머리글자를 딴 단어로,
    기업 활동에서 사회적 윤리적 가치를 반영하는
    의사 결정 방식을 뜻한다.

SK는 기후위기 시대 정유기업의 책임을 다하겠다며 '탄소중립 휘발유'를 출시했다. 현실은 영화보다 더 블랙 코미디다.

　　'탄소중립 휘발유'의 유사품으로 '탄소중립 항공권'이란 것도 있다. 탄소중립 항공권은 승객의 비행 구간에서 배출되는 1인당 탄소량을 계산하여 탄소배출권으로 환산한 가격을 티켓에 얹어서 판매하는 것이다. 항공사는 당신이 내뿜는 온실가스만큼 우리가 배출권을 구입해서 상쇄시켜줄 테니 온실가스 부담은 내려놓고 맘껏 비행기 여행을 하라고 부추긴다. 이런 탄소중립 상품은, 소비자들이 비행기도 계속 타고 자동차도 계속 타면서 마치 자기가 낸 돈이 온실가스를 들이마셔주는 것처럼 착각하게 만든다. 소비자들도 어느 정도는 알고도 속아주는 것이기도 하다. 너무 깊이 파면 복잡하고 불편해지니까, 적당한 선에서 타협하는 것이다. 내가 낸 돈은 어디선가 탄소를 흡수할 나무를 심는 데 쓰일 것이라고 믿으면서 말이다.

　　전문가들이 여기에 논리와 데이터를 덧붙여주면 '삽질'은 공신력을 얻는다. 항공업계가 탄소중립을 결의한 진짜 목적은 정부가 비행기의 탄소배출에 매기는 환경세를 유보시키는 데 있다. 오늘날 기업들은 연료를 '탈탄소 연료'로 대체하겠다고 '선언'하거나 '계획'을 내놓는 것만으로도, 산업 전환에 공적 자금을 투자하라고 요구할 명분을 얻는다. 공익성을 내세우며 기술 개발비는 공적 자원으로 조달하고, 그렇게 개발된 상품을 '비싼 친환경 상품'으로 출시한다. 신자유주의 이후 기업들이 비용은 사회화하고 이익은 사유화해온 전형적인 수법, '사회적 약탈'의 방식이다. 시민단체나 전문가들이 이런 식의 기술적·시장적 대안을 지지하는 것은, 결국 알면서 속아주는 것이고 사기극의 공모자가 되어주는 것이다. 기업들이 사용 전력을 100퍼센트 재생에너지로 바꾸겠다고 하는 RE100 캠페인은 대표적 사례다. RE100에 참여하는 기업에는 글로벌 자본의 이름들이 빼곡하다. 애플은 선도적으로 RE100을 선언한 기업이지만, 아이폰을 만드는 폭스콘 공장은 기술적 노동 착취로 악명이 높다. 생산라인의 전기가 모두 재생에너지로 공급된다고 해도, 그 전기가 엄청난 속도로 시간당 생산량을 채근하고, 노동자들의 일거수일투족을 감시하며, 노동자들이 견디다 못해 스스로 목숨을 끊을 만큼 강도 높은 노동착취에 쓰인다면, 그걸 '착한 전기'고 '착한 기업'이라 할 수 있을까? 기업이 ESG 인증을 받고 RE100 전기를 조달하기 위해 숲과 농지가 마구 훼손되기도 한다. 에너지의 생태적 전환은 에너지원의 탈탄소화만으로는 되지 않는 것이다. '정의롭고 평등하며 민주적인 에너지'로의 전환이라는 정치적 상상력이 반드시 결합되어야만 한다.

　　기후위기를 탄소 문제로 환원하기 시작하면, 이야기는 아이러니하게도 탄소배출 책임 집단에게 더 유리한 방식으로 작동한다. 탄소량만 가지고 계산하는 '탄소중립'은 기업을 규제하고 책임을 묻는 대신, 탄소중립만 실현하면 '좋은 기업'으로 손쉽게 둔갑시킨다. 배출량과 흡수량을 더하고 감하여

183

제로로 만든다는 셈법은, 지금까지 탄소를 배출했던 기업의 책임을 앞으로 탄소를 흡수하겠다는 기업의 약속으로 상쇄한다. 탄소 배출자에서 흡수자로의 전환은, 가해자를 해결자로 만들어버리는 절묘한 셈법이다. 그렇게 해서 '탄소중립'은 기업의 구세주가 된다. 지금 기업들이 누구보다 앞장서서 열심히 탄소중립 캠페인을 하는 이유도 그래서다. '탈탄소'를 '탄소중립'으로만 바꾸어도 기업은 숨통이 트인다. '배출'이라는 상쇄 수단이 생기기 때문이다. 게다가 탄소중립에서 절대적으로 유리한 것은 자본과 기술에서 압도적 우위를 차지하고 있는 북반구의 국가와 기업들이다. '어디서 얼마를 줄이고 늘리느냐'라는 문제로 에너지 전환의 경로가 축소되면, 결국 할당량과 목표치를 만들고 실행할 수 있는 이들이 주도권을 쥐게 된다. 하지만 '탄소 배출 몇 퍼센트 감축'처럼 숫자로 환원된 목표는, 그 숫자가 달성될 때 실제로 일어나는 일들에 대한 현실 감각을 쉽게 지워버린다. 전문가들이 농업에서 발생하는 온실가스를 몇 퍼센트 감축해야 한다는 목표량을 정하면, 농업 현장에서는 논물을 얕게 대거나, 저탄소 비료로 바꾸거나, 스마트 팜으로 전환해야 하는 당장의 압박이 닥친다. 이것은 농민들에게는 대가 없는 새로운 노동강도와 투입비용이 발생하는 것을 의미한다. '탈석탄'에서는 석탄만 아니라 석탄노동자도 함께 사라지게 된다. 탈석탄 지역의 노동자와 주민들에게 일어나는 일들을 '숫자'는 알려주지 않는다.

숫자는 많은 것을 속일 수 있다. 기후위기 당사국

총회에서는, 국가별 탄소감축 목표NDC를 제출하면서
각국 정부가 자기 나라와 기업에 유리한 방식으로,
배출량을 최소치로, 흡수량을 최대치로 계산한 꼼수가
넘쳐났다. 이후 이행과 점검에서도 숫자의 속임수가
난무한다. 교육부에서 전임교원 비율을 늘리도록
요구하며 그 비율을 대학평가에 반영했을 때, 대학은
더 많은 강사들을 전임으로 임용하는 대신 강사들을
잘라서 전임교원 '비율'을 높였다. 기업들이 평가에
유리하도록, 정규직 비율을 높이거나 재생에너지
비율을 높일 때도 마찬가지다. 비정규직을 해고하거나,
평가에 불리한 생산라인은 하청으로 돌리면 되는데,
과연 기업들이 지금까지와 반대로 행동할까?

그런 점에서 기업을 선도해서 갱생시키겠다는
시민 캠페인은 실효적인 강제력을 갖지 못할뿐더러,
오히려 탄소배출 감축의 기업 책임을 다른 곳에
전가하고 분산시킨다. 그러면 캠페인이 문제라는
것인가? 아니다. 캠페인도 효과적인 시민행동의 수단이
될 수 있다. 자본의 상상력이 제공하는 울타리에
우리의 정치적 상상력을 가두고, '소비 실천' 같은
아주 협소한 경로로 우리를 동원하고 도구화하는
'기업의 캠페이너'가 되지 말자는 것이다. 얼마 전,
청년들이 기업의 그린워싱 사례를 찾아내어 거짓말을
폭로하는 캠페인을 하는 것을 보았다. 캠페인을 하려면
그런 캠페인을 해야 한다. "나는 이렇게 하겠습니다",
"여러분 이렇게 하세요"와 같은 자기 다짐과 환경주의
계몽운동이 아니라, 저 청년들처럼 기업의 '삽질'을
폭로하는 캠페인을 하는 것이 훨씬 낫다.

이것은 상상력의 싸움이다

자동차를 전기차로 교체하거나, 주 1회 정도는 자가용 대신 대중교통을 이용하고, 주행 속도는 시속 60킬로미터 미만으로 하고, 해외 여행을 자제하고, 소고기를 덜 먹고, 저탄소 농산물과 탄소중립 상품을 구입하며, 녹색펀드에 투자하자는 식의 '기후시민 캠페인'을 보고 있노라면 일본과의 무역 분쟁 당시 렉서스 타지 말고, 일식집 가지 말고, 일본 여행 가지 말자던 '애국시민 캠페인'이 떠오른다. 그런 실천 방식을 선택할 수 있는 사람들이 대체 누구이며 얼마나 될까.

사람들은 묻는다. 편리하고 풍요로운 삶을 포기하고 싶지 않은 것은 대다수 사람들의 당연한 욕망 아닌가. 그걸 포기하라고 하면 오히려 반발하지 않을까. 사람들이 협조하지 않으면 기후위기 대응은 더 어려워지지 않겠는가. 아무것도 안 하는 것보다는 뭐라도 하는 것이 낫고, 풍요롭게 사는 시민들에게 굳이 불편을 권하고 거부감을 유발하기보다는 매혹적인 대체 상품을 통해 유인하는 것이 조금이라도 탄소배출을 줄일 수 있는 효과적인 방법이 아닐까. 〈녹색 거짓말〉이라는 영화의 제작자이자 『위장환경주의』의 저자인 카트린 하르트만*Kathrin Hartmann*은 이렇게 답한다. "녹색으로 소비하면 기분이 좋아지는 쾌감은 반反 계몽주의적일 뿐 아니라, 비정치적이거나 반정치적이다. 왜냐하면 그런 쾌감은 우리가 어떻게 지구에서 옳고 정당하고 함께 살 수 있느냐와 같은 중요한 사회적 질문을 순전히 경제적이고 기술적인 문제로 바꿔버리기 때문이다. 그리하여 세계를 구하고자 하는 노력이 창의적 아이디어 경쟁으로 부패해버리는데, 이러한 경쟁은 많은 아름다운 스토리를 만들어내어 결국 모든 게 좋아진다는 인상을 불러일으킨다."[3]

울리히 브란트*Ulrich Brand*와 마르쿠스 비센*Markus Wissen*은, 우리에게 '편리하고, 풍요로우며, 합리적인 삶'의 모델처럼 되어있는 '서구적 생활 방식'을 '제국적 생활 양식'이라고 정확하게 명명한다.[4] 브란트와 비센에 따르면 북반구(중심부) 시민들의 편리하고 풍요로운 삶은 남반구(주변부)의 노동과 자연을 무제한으로 전유할 수 있기 때문에 가능한 것이다. 남반구에 대한 착취가 없다면 북반구의 풍요도 없는 것이다. "겨울에 독일의 학교 급식실에서 제공하는 중국산 딸기, 불법 이주자들이 안달루시아에서 북유럽 시장을 위해 생산하는 토마토, 그리고 북반구 소비자를 위해 태국이나 에콰도르의 맹그로브 숲을 파괴해가며 양식하는 새우"는 주변부의 노동과 자연에 대한 폭력적 수탈에 의해서만 가능한 것이다. 세계화 이후로 중심부의 제국적 생활 양식은 주변부의 중상층 시민들에게도 점차 확산되어갔다. 이런 착취적

3. 카트린 하르트만,『위장환경주의』, 이미옥 옮김, 에코리브르, 2020, 89쪽.

4. 울리히 브란트 , 마르쿠스 비센,『제국적 생활양식을 넘어서 – 전 지구적 자본주의 시대의 인간과 자연에 대한 착취』, 이신철 옮김, 에코리브르, 2020.

이것은 상상력의 싸움이다

구조 속에서, 각자의 삶에서 녹색전환을 실천하려는 시민들도 종종 모순에 부딪친다. 채식주의자들에게 단백질을 공급하는 대두나 아몬드, 아보카도도 글로벌 푸드 시스템 하에서는 '평화로운 식품'이 될 수 없다. 고기의 대체식품으로 선택하는 새우나 복제육도 자연을 파괴한다. 결국 자동차 연료든 인간과 동물의 에너지원이든, 근본적 문제 해결책은 연료의 대체가 아니라 생산 양식과 생산 관계를 바꾸는 것이다.

에너지 전환을 위해 필수적인 광물자원은 대부분 유럽이 아니라 서구 밖의 주변부에 매장되어 있다. 희귀광물을 '프로메테우스의 금속'에 비유한 기욤 피트롱*Guillaume Pitron*은 모든 하이테크 기술의 시작점은 '갱도'라고 말한다.[5] 나는 기후정의에 대한 강의를 할 때 가끔 그 '갱도'로부터 이야기를 시작한다. 폐광 사진을 보여주면 사람들은 그 엄청난 규모에 깜짝 놀란다. 탄광은 그냥 '굴'이 아니기 때문이다. 나도 처음 봤을 때 놀랐다. 그 모습은 마치 남김없이 파먹힌 후에 메워지지도 않은 채로 버려진 거대한 몸을 보는 것 같다. 똬리를 틀며 파들어간 광산은 크고 높은 산이 거기에 거꾸로 처박혀있다 뽑혀져 나온 것 같은 형상이다. 이 공간 속에 매장되어 있던 금속의 양은 어느 정도였을까. 그걸 캐내기 위해 이만큼의 땅이 사라졌고, 그 위에 살고 있던 이들이 삶터를 잃었다. 다음에는 폐광이 되기 전, 광산 채굴이

---

5. 기욤 피트롱, 『프로메테우스의 금속 – 희귀 금속은 어떻게 세계를 재편하는가』, 양영란 옮김, 갈라파고스, 2021.

한창일 때의 사진을 본다. 구멍이 어찌나 크고 깊은지 사람이 개미처럼 보인다. 여기에 첨단 장비는 없다. 탄가루와 흙먼지에 뒤덮인 검은 몸의 노동자들이 줄사다리를 타고 방금 캐낸 광물 자루를 지상으로 져 나른다. 대략 시기가 언제쯤일까요? 나는 사진을 보면서 묻는다. 그러면 사람들은 고개를 갸우뚱하면서 추측한다. 18세기? 19세기? 하지만 그 사진들은 사진작가 세바스치앙 살가두*Sebastiao Salgado*가 1986년에 브라질에서 작업한 것들이다. 식민지 시대가 아니라 신자유주의 시대. 그런 채굴은 지금은 끝났을까?

　　2021년 뉴욕타임즈에 실린 콩고 공화국의 코발트 광산 사진을 봤다. 아마도 아주 큰 행성이 지구에 떨어지면 그만한 구멍이 생기지 않을까 싶은 거대한 구멍이었다. 더 충격적인 건 그 구멍이 마을 가운데 떨어져 있었다는 것이다. 구멍은 지금도 계속 커지고 있다. 구멍이 자랄 때마다 마을이 먹어 삼켜진다. 나중에는 폐광이 되어 흉물스런 모습으로 버려질 것이다. 누구인가? 이렇게 남김없이 파먹고 버리는 괴물은. 영화 〈돈 룩 업〉은 기후위기를 마치 9.11처럼 외부에서 사회에 가해지는 충격으로 묘사한다. 상당히 미국적인 상상력이다. 진실을 보려면 단지 위를 보라*Just look up*는 말은 콩고의 경우에는 반대다. 아래를 보라. 전기 배터리의 주요 원료인 리튬이 매장된 볼리비아와 코발트 매장지인 콩고 공화국은 자원을 둘러싼 전쟁, 폭력, 범죄로 얼룩지고 있다. 탄소 발자국은 폭력의 발자국이다. 지금 일어나고 있는 전 지구적 에너지 전환 과정의 폭력성을 묘사하려면 밀양 송전탑 반대

투쟁 때 나온 "전기는 눈물을 타고 흐른다"는 문장이
다시 수정되어야 한다. 전기는 핏물을 타고 흐른다.

　　우리가 원하는 '탈탄소 사회'의 모습이 그런 것은
아닐 것이다. 사태가 급박할수록 더욱 필요한 것은
기존의 지배적 사유 체계와 근본적으로 단절하는
인식의 전환인데, 문명사적 대전환이 필요하다고 말은
하면서도, 정작 정치적 상상력은 잘 보이지 않고 시장적
상상력과 기술적 상상력만 과잉된다. 어째서일까?
어째서 많은 사람들에게 필요하고 골고루 혜택을 누릴
수 있는 기술이 아니라 소수의 특권층을 향하는 기술적
상상력만 나날이 발전하는 것일까?

자본의 상상력을 넘어

어떤 사건이 일어나고 진실을 알게 되면, 더 이상
이렇게 살면 안 되겠다는 마음을 먹는 순간이 있다.
우리가 다른 길을 찾으려 할 때, 그 마음의 동향을
예민하게 포착하고 가장 빨리 새로운 대안을 제시하는
힘이 바로 자본의 상상력이다. 개인들의 선의를
소비자의 욕구로 바꿔서 시장으로 낚아채는 마케팅
기술은 오늘날 빅데이터와 알고리즘 기술에 의해 더
정교해졌다. 여기에는 정치적이고 사회적인 요구도
포함된다. 사람들이 축산업의 실태를 알게 되고, 동물의
고통을 자각하고 죄책감과 연민을 느끼기 시작하고,
운동이 시작되면, 시장은 재빨리 대체육과 각종 채식
상품을 내민다. 미세먼지로 대기오염의 심각성을

자각하게 되면 기업은 공기청정기를 팔고, 아토피로
고통받는 이들이 많아지면 마트엔 유기농 상품이
늘어나고, 관련 제약회사의 주가가 올라간다. 웰빙
시대의 친환경 채소는 탄소중립 시대엔 저탄소 인증을
하나 더 붙여야 한다. 삶의 '고품질'은 '고가격'으로
충족된다.

최근에 네덜란드에서는 해수면 상승에 대비한
'플로팅 하우스'가 출시되어 인기를 끌고 있다고 한다.
작물이나 가축을 물 위에서 기르는 수상 농장, '플로팅
팜'도 선보이고 있다. 플로팅 하우스든 플로팅 팜이든
그걸 살 수 있는 사람이 얼마나 될까? 네덜란드에서
가능한 대안들이 해수면 상승에 직면한 가난한
나라에서도 실현될 수 있을까? 네덜란드 기업은
자신이 보유한 기술을 그것이 시급히 필요한 나라에
무상으로 제공할 수 있을까? 위험 사회의 '안전 비용'이
각자의 부담이라면, 결국 부자들부터 먼저 안전해지고
가난한 사람들이 제일 먼저 희생된다는 이야기다. 나는
저런 대안 상품들을 볼 때마다 영화 〈헝거 게임〉에서
봤던 기막힌 발명품을 떠올린다. 영화 속에서 대다수
사람들은 먹을 것이 없어 굶주리는데, 수도에 사는
1퍼센트의 부자들은 먹을 것이 너무 많아 고민이다.
먹고 또 먹어도 다 먹지 못할 맛있는 음식들을 모두
맛볼 수 있도록 제공된 해결책이 구토제다. 배가 부르면
구토제를 먹어 속을 비워내면서 계속 먹을 수 있도록
한 것이다. 나는 지금 제시되는 탈탄소화 대안들이
저런 대안과 다를 바 없다고 생각한다.

"탄소만 빼고, 성장은 계속 하자." 북반구

선진국의 정부와 기업, 주류 환경주의 노선이
채택하고 있는 '생태적 현대화'나 '탈동조화'[6] 등의
개념이 주장하는 것은, 요약하면 결국 이 말이다. 이런
서구적 상상력의 한계와 문제를 지적하면서, 인도의
철학자이며 정치학자인 아미타브 고시*Amitav Ghosh*는
작금의 기후위기가 근본적으로 상상력의 위기라고
말한다.[7] 우리는 세계를 이해하고 관계 맺는 근대적
사고, 자본주의적 관점, 신자유주의적 가치에서
벗어나지 않고서는 결코 기후 문제를 해결할 수
없다. 그런데도 자본의 상상력에 포획되어 환경주의
용어조차 시장의 용어를 빌려서 말하고 있다는 것이다.
파리협정문도 자유무역 협정의 용어와 문법을 거의
그대로 따르고 있다. '탄소중립'의 문법도 마찬가지다.
지금 탄소 감축의 방식은 신자유주의 시대 정부의
긴축재정이나, 기업의 구조조정 방식과 흡사하다.
구조조정을 위한 작업반이 온다. 특별임무를 맡은
태스크 포스팀이 자산평가 자료와 재무재표를 놓고,
어디서 얼마를 줄일 것인지, 어디를 떼어내고 어디를
살릴 것인지를 분석하고 결정한다. 그에 따라 지역별
부서별로 인원과 예산의 감축 할당량이 정해진다.
우리가 금융위기나 기업 매각 때마다 봤듯이,

---

6. 한 나라 경제가 특정 국가 혹은 세계 전체의 경기
   흐름과 독립적으로 움직이는 현상. 기후위기와
   관련해서는 경제성장과 탄소배출량 증가가 함께
   움직이지 않는 현상을 설명한다.

7. 아미타브 고시, 『대혼란의 시대 – 기후 위기는
   문화의 위기이자 상상력의 위기다』, 김홍옥 옮김,
   에코리브르, 2021.

먼저 잘려나가는 곳은 가장 취약한 곳이다. 부분을 희생시키는 논리는 어디서나 똑같다. 기업을 살리기 위해, 국가를 살리기 위해, 모두를 살리기 위해. 지금은 지구를 살리기 위해서 탄소중립위원회가 탄소의 구조조정을 담당하고 있다. 국가도, 지구도, 기업처럼 관리하고 경영하는 방식. 세계를 시장으로 환원시키는 사유. 우리는 이런 문법에서 벗어난 언어를 발명해야 한다.

그런데 이 지구-시장 관리자의 관점은, 기후위기를 설명하는 여러 표상을 통해서도 계속 강화되고 확산된다. 우리가 사는 세계와 우리에게 닥친 위험은 어떤 방식으로 재현되는가. 붉게 타오르는 지구, 녹아내리는 빙하, 아마존의 불타는 숲 같은 이미지, 각종 통계와 탄소배출량, 국가 온실가스 감축 목표 같은 숫자, 그린뉴딜이나 탄소중립 같은 상징 언어, 이런 것들이 우리에게 익숙한 표상이다. 이 이미지, 숫자, 언어들은 대부분이 제1세계의 과학자, 기자, 전문가들이 만든 것이다. 기후위기를 시각화하기 위해 사용하는 벌겋게 달아오른 지구, 녹아 흘러내리는 지구 이미지는 진부해졌을 뿐만 아니라 무엇보다 그 자체가 지구 위에서 지구를 내려다보는 인간을 상정한다. 근대인의 관점, 지구에 불을 지른 그 인간의 관점 말이다. 나오미 클라인은 『이것은 모든 것을 바꾼다』에서 푸른 별 지구라는 표상이 지구인의 위치를 지구 밖으로 이동시켜왔다고 지적한다.[8] 불타는 지구

---

8. 나오미 클라인, 『이것이 모든 것을 바꾼다』, 이순희 옮김, 열린책들, 2016.

역시 마찬가지로 우리의 시선을 외부자의 관점으로 이동시킨다. 그 시점은 우리 집이 불타고 있는데도 자신을 밖에서 불구경하는 구경꾼처럼 착각하게 만든다.

때로 카메라는 현장 속으로 좀 더 깊숙이 들어가기도 한다. 그래도 문제는 나타난다. 하늘 위에서 보는 대신 더 아래로 내려가서 보면 세상이 분명 좀 다르게 보일 것이다. 하지만 이내 우리는 여전히 어디선가 본 듯한 장면을 마주한다. 녹아내리는 빙하 위에 위태롭게 서있는 북극곰의 멍한 눈빛을 당신은 난민 보트 위의 사람들에게서 보지 않았나? 벌건 불길을 피해 강물을 따라 피신하는 아마존의 원주민들의 모습에는 포탄이 떨어진 전쟁터에서 도망가던 중동과 아프리카 지역 사람들의 얼굴이 그대로 겹쳐지지 않는가. 지난 반세기 동안 AP나 로이터가 전해준 타인의 고통, 우리가 경악하면서도 안도하고, 분노하면서도 내 일이라고 생각하지는 않았던, 그 '타인의 고통'을 극적으로 클로즈업한 장면들 말이다. 카메라를 든 사람과 찍히는 사람의 관계가 바뀌지 않는 한, 진실을 생산하는 방식은 바뀌지 않는다.

수전 손택Susan Sontag은 타인의 고통이 전시적으로 소비되지 않도록 저널리즘에 '재현의 윤리'를 요청했지만, 중심부의 언론에 주변부의 비극은 손쉽게 포르노적으로 재현되어왔고, 오늘날은 특히 더하다. 전쟁 포르노, 기아 포르노, 난민 포르노에 이어 기후위기의 재현도 점점 포르노를 닮아간다. 이런

재현 방식은 기후위기의 당사자들을 해결의 주체가
아니라 희생자와 구호의 대상으로 만든다. '그곳의
비참한 사람들'은 '이곳의 선한 사람들'의 마음을
동요시키지만, 거기서 전쟁이 왜 일어났는지, 사람들이
왜 굶주리게 되었는지, 비옥하던 땅이 왜 황무지가
되었는지 묻지 않는다면, 책임자에게 제대로 책임을
지울 수도 문제를 해결할 수도 없다. 망원렌즈로
먼 곳을 당겨서 거대한 참사를 클로즈업한 '그곳'의
위기만을 부각시키는 것은, '지금 이곳'에서 일어나는
느린 폭력과 조용한 죽음, 바로 옆에 있는 이웃의
최전선 공동체가 겪고 있는 위기를, 아직 일어나지 않은
일, 또는 관련 없이 연속되는 사소한 사건들로 여기도록
만든다. 우리는 이 '스펙터클의 세계'에서 탈출해야
한다.

　　　어떻게 하면 저항의 상상력을 빼앗기지 않고,
기존의 지배 언어에 기대지 않고, 오히려 전유하거나
전복하면서 새로운 정치적 상상력의 싸움을 벌여나갈
수 있을까. 나는 예술적 실천의 하나로 '이야기의
싸움'을 말하고 싶다. 기후위기에 대한 정보는
넘치지만 위기를 겪고 있는 사람들의 이야기는
드물다. 우리는 전문가들의 손에서 가공된 '정보'보다
더 많은 기후위기를 겪고 있는 당사자들의 '이야기'가
필요하다. 이웃들의 이야기와 우리들의 이야기,
그것이 곧 나의 일임을 말해줄 이야기, 정보도, 기술도,
자본도, 권력도 없는 이들이 판을 뒤집을 수 있는 건,
이야기의 싸움이다. 지배자들의 세계관을 강화하는
고정된 이미지를 정반대로 전복하는 이미지, 숫자로

다루어진 존재를 삶을 사는 존재로 다시 가져오는 이야기, 어떤 용어가 은폐하는 진실을 폭로하는 다른 언어를, 반대쪽의 감각으로 만들어내야만 한다. 예술적 상상력이 요청되는 것은 바로 그 지점에서다.

시적 정치적 상상력과 빈자의 환경주의

이야기를 가진 이들은 과연 누구일까? 롭 닉슨*Rob Nixon*의 책 『느린 폭력과 빈자의 환경주의』[9]에서 "우리에게는 왜 석유문학이 없는가?"라는 질문을 처음 만났을 때, 나는 큰 충격을 받았다. 탄광을 배경으로 하고 광부들을 주인공으로 하는 소설이나 영화는 줄줄이 떠올랐지만 '석유문학'이라 부를 만한 작품은 떠오르지 않았다. 에밀 졸라*Emile Zola*, 조지 오웰*George Orwell*, 업튼 싱클레어*Upton Sinclair*, D. H. 로렌스*David Herbert Lawrence*까지, 석탄은 정치적·역사적으로 중요한 자원이었을 뿐만 아니라 문학과 예술에 영감을 불어넣는 소재였다. 그런데 석탄보다 석유를 더 많이 쓰는 시대, 합성섬유에서 플라스틱까지 석유화합물에 둘러싸여 살아가는 시대에 왜 석유를 소재로 한 문학은 탄생하지 않았던 것일까. 그 생각을 한번도 해보지 않았고 이제야 깨닫고 있다는 사실 때문에 나는 놀랐던 것이다. 하지만 답은 더 충격적이었다. 석유문학은 있다. 다만 서구에 없을 뿐이다. 중동과 아프리카의

---

9. 롭 닉슨, 『느린 폭력과 빈자의 환경주의』, 김홍옥 옮김, 에코리브르, 2020.

유전 지역에서 벌어지는 일들, 석유를 둘러싼 전쟁,
채굴 지역의 폭력과 범죄를 다룬 문학이 석유문학이
아니라면 무엇이란 말인가. 가싼 카나파니*Ghassan
Kanafani*의 『불볕 속의 사람들』은 갱도가 아니라
사막을 건너는 뜨거운 탱크 속에서 죽는다. 그들이
고향을 잃고 사막을 건너야 했던 그 전쟁의 이유가
석유가 아니면 무어란 말인가. 석유자본 쉘과 싸우다
처형당한 나이지리아의 작가 켄 사로위와*Ken Saro-
Wiwa*가 피로 쓴 그 글들은 석유문학이 아니고 무어란
말인가. 유럽인은 석유를 가장 많이 사용하지만, 대부분
최종소비자로서만 석유와 관계 맺는 그들에게는,
수도를 틀듯이 기름을 넣는 주유소가 도시의 유정이나
마찬가지다. 유럽 소비자들은 생산지의 감각과 완전히
유리되어, 심지어 석유에서 조개껍데기나 해바라기를
떠올린다.[10] 하지만 사로위와의 작품 속에서,
나이지리아의 오고니 사람들은 쉘 로고를 새긴 기둥이
유정에 꽂히던 날을 '밤이 없는 세계'가 시작된 날로
기억한다.

　　　빈자의 환경주의는 지배 서사를 전복시하는 힘을
가졌다. 빈자의 상상력은 중심부에서도 탄생한다.
노먼 록웰*Norman Rockwell*은 1930년대 뉴딜 시대의
대표적인 프로파간다 작가인데, 그의 연작 그림 〈네
가지 자유〉는 루즈벨트*Franklin Roosevelt*를 통해 제시된
'위대하고 풍요로운 미국'에 대한 약속*deal*을 표현한다.
이 그림들의 제목인 '말할 자유*Freedom of Speech*',

----

10. 조개껍데기와 해바라기는 각각 세계적 석유기업
　　쉘과 BP의 로고 모양이다.

197

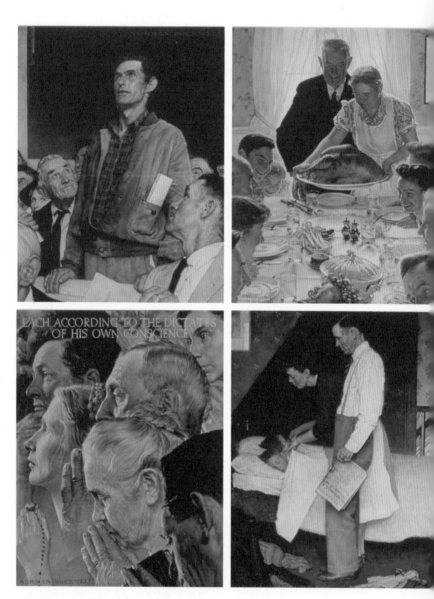

노먼 록웰, 〈네 가지 자유〉, 캔버스에 유화, 1943

(왼쪽 위부터 시계방향으로) – 말할 자유 – 욕구로부터의 자유
– 두려움으로부터의 자유 – 신앙의 자유

'욕구로부터의 자유Freedom from Want', '신앙의 자유Freedom of Worship', '두려움으로부터의 자유Freedom from Fear'는 뉴딜 시대에 내걸린 슬로건이었고, 당대의 미국인들이 꿈꾼 사회에 대한 이상과 희망을 담은 것이었다. 화가는 그것을, 양복 입은 신사들 사이에서 거침없이 발언하는 노동자의 모습과 추수감사절에 가족들이 둘러앉아 칠면조를 먹는 장면, 각자 믿는 신에게 각자의 방식으로 기도를 드리는 모습, 잠든 아이들을 지켜보는 부모들의 모습을 통해, 풍요롭고 민주적이며 평등하고 정의로운 나라의 이상으로 표현했다.

그런데 이 그림들은 이후 시대를 거듭하며 여러 가지 형태로 재해석되고 재창조된다. 수많은 유명 무명의 작가들에 의해 수정된 그림들은 당시의 뉴딜에서 누락되거나 배제된 존재들을 화면 속으로 다시 불러온다. 신사들 틈에서 작업복을 입고 당당하게 발언하던 노동자의 모습에 감동받았던 우리는, 그 노동자가 백인이 아닌 흑인, 여성, 성소수자, 장애인의 몸으로 재현되었을 때, 원작이 묘사하고 있는 평등에서 은폐된 불평등이 무엇인지 깨닫게 된다. 또 다른 작가들은, 식탁에서 앞치마를 두르고 접시를 들고 있는 어머니의 모습을 남자로 바꾸기도 하고, 칠면조 접시를 빵 접시로 바꾸기도 하면서, 정상가족 이데올로기를 폭로하거나 채식주의자의 식단을 대안으로 보여주기도 한다. 심지어 요리로 등장했던 칠면조들이 식탁에 둘러앉아 동등한 주체로서 동물해방의 뉴딜을 새롭게 쓰기도 한다. 침대에서 걱정 없이 안전하게 잠든 아이들을 내려다보는 백인 부부의 모습이 추방

이것은 상상력이 세우는

명령을 받은 이주노동자의 가족으로 바뀌었을 때, 미국 사회에서 어떤 가족이 안전한 동안 여전히 안전하지 못한 이들이 누구인가를 떠올릴 수 있게 된다. 함께 모여 기도하는 식탁 뒤로 돌멩이가 유리창을 깨트리는 무슬림 가족의 식사 장면은 풍요로운 미국 사회 속에서 누군가는 적대와 공포 속에 살아가고 있음을 알려준다. 록웰의 그림이 루즈벨트 시대의 뉴딜에 대한 일반화된 전형이라면, 이 전형에 대한 전복을 상상한 이들은 누구였을까? 새로운 뉴딜은 과거의 뉴딜을 계승하면서도 반복해서는 안 된다는 것을 끊임없이 환기시킴으로써 '녹색뉴딜*Green New Dael*'에 담아야 할 내용을 만들어내고 있는 것은, 과거의 뉴딜에서 배제되었던 존재들이다.

　　　2019년 한국 사회에도 불타는 지구와 녹아내리는 극지방의 사진과 함께 그린뉴딜이 녹색 구명정처럼 도착했다. 하지만 그것은 아래로부터의 운동이 만들어낸 '뉴딜을 넘어서는 뉴딜'이 아니라 루이 비통 같은 '선진국형 기후정책'으로 소비되었다. 미국과 달리 역사적 상상력을 불러 넣어줄 수 있는 공통의 기억을 갖지 못했기에, 이곳에서 그린뉴딜이란 개념은 처음부터 전복적 상상력과는 거리가 멀었고, 무엇인가 의미를 채워 넣어야 할 기표나 빈 서판 같은 것이었다. 여기에 몫이 없는 자들의 목소리를 기입했어야 하지만, 곧 이 상징 기호는 자본과 정권의 녹색성장 신산업 정책으로 채워졌고, 그린워싱에 이용되기 시작했다. 미국의 '선라이즈 무브먼트*Sunrise Movement*'나 유럽의 '멸종저항*Extinction Rebellion*' 운동이 그린뉴딜의 상징처럼 소개되곤 했지만, 실제로 한국 사회 그린뉴딜 초기 공론장에 가장 많이 불려 나온 사람은 '녹색 기업가정신*green entrepreneurship*'을 설파하는 시장주의적 그린뉴딜 전도사인 제레미 리프킨*Jeremy Rifkin*이었다. 국내 그린뉴딜 그룹은 아래로부터의 사회운동을 통해 추동해낸 미국의 민주적 사회주의와 결합한 그린뉴딜보다는 시장주의적이고 기술주의적인 EU의 보수적 그린딜을 모델로 삼았다. 이런 과정에서 사회운동으로서의 그린뉴딜이 제기했던 급진적 의제들은 실종되고, 체제전환의 요구는 '탈탄소 사회'라는 납작한 용어로 축소됐다. 이후 정부 정책으로 수용된 그린뉴딜은 디지털 뉴딜과 함께 K-뉴딜의 하위 범주로 편입되어, 그린 모빌리티, 그린 에너지, 그린 리모델링 등 자동차, 에너지, 건설사업에서의 새로운 신성장 분야 지원과 산업 전환 및 녹색시장 부양을 위한 정책이 되고 말았다. 그린뉴딜은 기후운동의 용어가 아니라 에너지 전환 및 그와 연동된 산업전환 계획으로서 국가정책 패키지를 나타내는 용어가 되어버렸다. 녹색은 저항하는 생명을 상징하는 색이 아니라 온도 상승으로 지구 재난을 초래하는 탄소의 역공으로부터 우리를 지켜줄 녹색기술과 녹색산업을 상징하는 색이 됐고, '녹색정치'는 녹색이란 상징을 빼앗기고 훼손당했다. 한국에서 그린뉴딜은 상징투쟁의 실패 사례로 남을 것이다.

정치는 늘 다음 사회에 대한 새로운 상상력의 싸움이다. 상상계를 재창조하지 않으면 기존의 주어진 가시계를 벗어날 수 없다. 여성정치도, 녹색정치도,

진보정치도, 다른 언어와 다른 서사를 발명해내지
않으면 안 된다. 우리는 그런 상상력을 어디서
길어올릴 수 있을까. "사회 변혁을 믿는 작가들은 늘
그들의 사회가 요구하기는커녕 결코 상상조차 할
수 없는 방식을 찾아내고 있다"고 나딘 고디머*Nadine
Gordimer*는 말했다. 지금 기후위기는 더더욱, 상상조차
할 수 없는 방식을 찾아내지 않으면 안 되는 때다.
정부를 대신해 생각하는 관료적 사고, 기업을 대신해
생각하는 기업가적 창의력은 바로 그 지점에서
'생존'과 '현상유지'라는 목표를 뛰어넘을 수 없다.
그것을 뛰어넘을 수 있는 것은 시적 상상력으로서의
정치적 상상력이며, '빈자의 환경주의'는 그 상상력의
담지자가 누구인지 가르쳐준다. 록웰의 뉴딜적 상상을
재해석하여 전복시켰던 새로운 시대의 저항자들처럼,
지금 가장 필요한 것은 권력의 관계를 바꾸는
상상력이다. 기후정의 운동의 구호, "기후가 아니라
체제를 바꾸자*System Change, Not Climate Change*"는 말은,
탄소가 아니라 권력을 바꾸자는 말이다. 체제 변화만이
탄소 배출에 제동을 걸 수 있다는 말이다. 그런
상징투쟁의 수단들을 우리는 더 많이 창조해내야 한다.

상상하라 다른 세상을

자본의 상상력은 우리의 정치적 상상력을 늘 '생존의
틀' 안에 가둔다. 하지만 생존이 최우선 목표로
설정되면 삶의 다양한 층위에서의 요구들이 모두 생존

이후로 미뤄진다. 전체의 생존을 제1의 사회적 목표로 삼을 때, 그 이상의 사회적 가치들은 생존의 목적에 종속된다. 생존부터 해야 정의도 평등도 가능하다는 논리는 '성장이 있어야 분배도 있다'는 논리와 동일 형식이다. "지구가 있어야 일자리도 있다"는 구호도 그런 문법을 구성하는 대표적인 사례다. 하지만 노동자들은 일자리 없는 지구에서 어떻게 살아가란 말이냐고 되묻는다. 지구가 멸망하면 8년 후에 죽지만, 해고는 내일모레 죽는 것이다. 함부르크 교사노조는 이 슬로건을 "일자리가 없으면 지구도 없다"로 바꾸었다. 지구는 수많은 존재들의 삶과 노동으로 지탱되는 곳이니까.

　　　무엇보다 그동안 '나중에'의 논리는 소수와 약자를 담론장에서 배제시키는 국면마다 힘을 발휘해왔는데, 기후위기에서도 "탄소 감축 먼저, 피해 대책은 나중에"라고 하는 것은, 이 위기 앞에 가장 위험하고, 그래서 가장 먼저 극복의 주체가 될 수 있는 사람들을 뒤로 밀어내고 때로는 장애물처럼 만들어버린다. '나중에'와 같은 선별과 배제의 문법은 재난자본주의가 정치를 중지시키는 비상상태에서는 강력한 전체주의적 위력을 발휘한다. 그런 점에서 현재의 기후위기에 대한 사회적 담론이 '재난담론'과 '생존담론'으로 구축되는 것은 정치적으로 매우 위험하다. 살아남으라는 명령은 모든 상상력을 봉쇄한다. 수용소에는 미래가 없다고 말한다. 영원히 반복되는 똑같은 날들이 이어질 뿐이므로. 살아남아야 한다는 일차원적 과제가 삶을 지배하면, 어떤 삶을 살 것인가, 어떤 삶을 살고

싶은가에 대한 질문은 설 자리를 잃는다. 그런 질문을
던지는 이들은, 현실을 모르는 이상주의자, 타협을
거부하는 극단주의자, 불가능한 것을 상상하는 망상에
사로잡힌 자로 취급당한다. 하지만 지금 우리에게 가장
필요한 것은 실현 가능한 것이 아니라 불가능한 것을
상상하는 힘이다.

그 학기 토론에서, 서로 의견을 제안하고,
참고하고, 수정하면서 도달한, '지구를 떠날 때
가져가야 할 것'은 놀랍게도 '씨앗'과 '책'이었다.
우리의 결론이 자연과 문명을 상징하는 저 두 가지에
이르렀을 때, 나는 약간 소름 끼치는 기분이었다. 책을
가져가려는 이유는 인간의 역사를 잊지 않기 위해서다.
잊지 않아야 할 것은 인류의 위대한 역사가 아니라
지구에서 인간이 저지른 일이었다. 새로운 지구를
상상하려면 가장 먼저 지구에서의 삶을 반성해야 한다.
우리는 방금 막 지구를 떠나온 사람들이니까. 가장
위험한 이들이 누구였는지, 그들이 어떻게 우리 공동의
삶의 터전을 살 수 없는 지경으로 만들었는지, 파괴의
원인과 지배의 원리를 알아야만 한다. 새로운 별에서는
그래선 안 되니까.

그러나 우리가 기억해야 할 것은 파괴자만이
아니다. 우리에게 더 중요한 것은 지금 우리처럼 새로운
공동체를 지구 위에서 상상하고, 아직은 있지 않은,
그러나 예전에도 있었고 지금도 있으며 앞으로도 있을
'다른 사회'를 상상하고 저항하며 연대했던 사람들의
이야기다. 씨앗을 지킨 사람들 말이다. 씨앗을 뿌릴
수 있다면 우리는 다시 시작할 수 있다. 책이 있다면

우리는 잊지 않고 기억할 수 있다. 그렇게 해서 우리는 '우주 식민지 개척 프로젝트'가 아니라 '지구로 돌아오는 길'과 '지구를 고향으로 되찾는 법'을 간신히 찾아냈다.

　　대학에서의 이 토론 이후 나는 지역의 청소년 진로교육이나 미래교육을 할 때도 같은 물음을 종종 던져보곤 했다. 청소년들의 답은 이론이나 합리성에 갇히지 않고 질문의 틀을 뒤흔드는 경우가 많았다. "어디로도 가지 않겠다"고 답한 이의 완고한 부동성은 모두에게 끝없는 이동과 변신을 강요하는 시대에 감동적이기까지 했다. 이 토론에서 최근 몇 년간 나타난 인상적인 변화는 '동반자'의 출현이다. '가지고 갈 물건'이 아니라 '함께 갈 가족과 친구'를 말하는 이들이 나타난 것이다. 그 가족과 친구에는 사람만 아니라 반려동물이나 식물도 있었다. 생존의 필수품이 아니라 삶의 동반자를 말하는 사람들에게서 나는 힘을 얻었다. 미래를 위한 싸움은 여기서 시작될 것이다.

데이터셋 그리고
팅커링

송수연

'알파고' 등장 이후 지난 몇 년 사이에 '인공지능' 이라는
용어는 유행어가 되어버렸다. 알파고는 바둑의 기보
데이터를 통해 훈련된 계산과 예측을 하는 게임 기계로
인공지능이 인간의 지능을 넘어설 수 있음을 증명했다.
한편 2020년 말 오픈한 대화형 챗봇 '이루다'는
성소수자, 장애인, 임산부를 비하하거나 인종차별적인
말을 하는 등 편향된 시각이 담긴 대화로 논란을 빚어

서비스가 중단되었다. 이 사례는 인공지능의 의사결정 편향성에 대해 사회적으로 논의가 충분하지 않은 상황에서 어떻게 사고하고 해결해야 할지 모르는 당혹스러운 상황을 만들기도 했다. 하지만 정보 인권의 문제와 함께 인공지능 알고리즘의 배경이 되는 기계학습*Machine learning*[1]과 데이터셋*Data set*[2]이 가질 수 있는 편향성의 문제를 보여주며 인공지능의 윤리에 대해 인식하는 계기가 되었다. 최근 페이스북 알고리즘의 위험성을 알린 데이터 과학자의 내부 고발 사례는 알고리즘과 데이터가 사회에 미치는 양가적 영향력에 대해 다시 생각하게 했다.

디지털 기술, 인공지능의 알고리즘적 계산과 예측 시스템은 인간이 개발한 것이다. 하지만 기술의 컴퓨팅 연산은 인간의 지식과 인식, 감각의 범위를 벗어난 지 오래다. 추상화된 블랙박스가 되어가는 신기술의 작동 메커니즘은 잠재적이므로 설명하기 어려운 것이 되었다. 딥러닝[3] 이후 인공지능의 예측과 판단이 어떤 과정으로 도출되는지 이해할 수 없는 상황에서, 이것이 미래에 미칠 수 있는 영향력은 인간의 예상을 벗어나는

---

1. 사전에 프로그래밍하지 않고도 스스로 학습(훈련)할 수 있도록 하는 인공지능의 한 분야로, 의사 결정이나 예측을 위해 대규모 데이터에서 얻은 경험을 통해 계속 개선되는 알고리즘이다.

2. 인공지능 학습을 위해 사용하는 데이터의 더미로 현재 수많은 데이터셋이 존재하고 만들어지고 있다.

3. 음성 인식, 영상 분류, 사물 감지 등 인간과 유사한 작업을 수행하도록 컴퓨터를 교육하는 기계학습 기술의 일종.

것이기도 하다. 그래서 해석 가능한 또는 '설명 가능한 인공지능*XAI, Explainable AI*'이라는 요구는 기술의 공정성과 투명성, 책임에 대한 강조이자 요청이기도 하다.

　　기술이 더 좋은 세상을 가져올 거라는 믿음은 확장되고 있다. 하지만 새로운 기술의 맥락 속에서 사회적, 문화적, 경제적 질서들이 재배치되면서, 이로 인한 다양한 변화들이 어떤 세계관과 가치를 반영하고 구축할지 긍정적으로 낙관만 하기는 어려운 것 같다. 기술의 역사는 언제나 모두를 향해 공평하게 열려있었던가? 기술이 개발되는 과정에는 독점적 하드웨어나 소프트웨어가 늘 있었고, 이것으로 인해 이득을 얻는 자들의 반대편에는 늘 배제와 차별, 소외가 있었다. 그리고 인공지능이 보편화하고 있는 기술사회에서 인공지능 알고리즘을 장착한 기계와 사물들은 특정 목표에 부합하는 역할을 수행하는 기술적 도구나 장치에 그치지 않고, 사회와 개인에게 더 직접적 영향을 미치는 '액터*actor*'이자 '에이전시*agency*'의 역할을 하고 있다. 이런 새로운 상황을 우리가 배운 지식과 인식의 프레임으로 사고하고 받아들이기에는 한계가 있다고 학자들은 말한다.

　　이제 인공지능과 빅데이터에 연결된 과장되고 단순한 수사들을 넘어서는 비판적 관점과 예술적 실천이 필요하다. 성찰과 토론을 위한 교육과 그 방법론에 대한 다층적인 연구와 활동이 중요하다는 사실은 두말할 필요도 없을 것이다. 이 글은 현재 부상하고 있는 인공지능과 기계학습, 그리고 데이터셋에서 발견할 수 있는 기술적 결함의 가능성을 살펴보며 시의적절한 교육 방법을 질문하는 데서 시작되었다. 교육과 예술의 현장, 미래 교육 담론 지형에서 '인공지능 교육 역량 강화', '인공지능과 창의성'이라는 슬로건을 자주 접하면서 그 방향성을 전문가의 영역이나 관점으로 고착시킬 필요는 없다고 생각한다. 지금의 기술 사회에 대한 이해는 데이터셋을 들여다보고 기계를 가르치고 오류를 발견하면서 그 측면에서 많은 것을 배우며, 인공지능을 둘러싼 책임과 윤리에 대해 자연스럽게 질문하고 논의하는 계기를 만들 수 있다. 또한 그 배움은 기계를 이해하는 과정이기보다는 인간이 믿는 신념이나 가치관에 관한 질문과 성찰의 과정으로 이어진다.

　　이 글에서 인공지능이나 기계학습을 예술 작업과 교육의 과정으로 연결할 때 중요하게 생각한 방법론은 비판적 제작 문화의 태도이다. 제작 문화의 '스스로 하기'에 내재한 구축적인 프로젝트 과정과 다양한 만들기 방식(용도 변경, 즉흥적 배움, 실천적 지식, 함께하기 등)의 태도는 기술 문화를 비판적으로 사유하는 과정에서 큰 참고가 되었다. 자칫하면 인공지능이나 기계학습에 대한 표피적이고 주관적인 접근 방식이 될 수도 있겠지만 기술을 여러 시각에서 이해하고 사유하며 개인적인 관점들을 만들어가는 데 좋은 토대라고 생각한다.

인공지능은 인간이 지능을 이용해 하던 일들을
모방하고 대신하기 시작했다. 이미 법률이나 의료,
금융, 해양 분야에서는 인간의 판단을 기계의 판단으로
대체하고 있다. 디지털 디바이스나 가전제품에는
데이터를 기반으로 5G 네트워크 기술과 함께 인공지능
알고리즘이 장착되고 있다. 인공지능이 인간의 의사
결정에 개입하면서 개인의 일상과 사회에 미치는
영향력은 커지고 있지만, 아직 인공지능은 생소한
대상이고, 우리는 그 내부의 작동 메커니즘을 거의
알지 못한다. 인간의 감정이나 판단이 개입되지 않는
기계라는 특성, 자동화에 대한 신뢰 때문에 인공지능에
잠재된 결함이나 위험성을 잘 인지하지 못하는 것도
문제이다.

인간에 의한 경험적 학습과 발견은 복잡하고
시간이 오래 걸리는 반면 기계학습은 데이터셋을
기반으로 측정, 추론, 예측하며 인간의 경험을 빠르게
일반화한다는 특성이 있다. 그래서 기계학습의 훈련
원료인 빅데이터는 인간의 지능과 감각으로 계산되지
않는 숨겨진 다양한 가치와 기회를 추출하기 위한
시장이자 격투의 장이 되고 있기도 하다. 기계학습
모델을 구성하는 데이터셋과 이것이 정의하는
알고리즘은 독점적 하드웨어나 소프트웨어로 존재하기
때문에 다른 여타의 기술처럼 블랙박스와 같다.
기술공학적인 내부 메커니즘을 이해하거나 분석하기는
어렵지만 한편으로 이 블랙박스와 연결된 외부의

영역을 다양한 충위에서 접근하고 들여다보는 사회적, 인문적, 문화적 과정은 열려있다. 인간이 예상하지 못하는 문제들이 기술의 자장 안에서 튕겨져 나올 때 내부를 보는 외부의 사고 프레임은 지금의 기술사회의 맥락을 읽는 데 중요하다.

인공지능의 윤리, 데이터와 알고리즘의 편향성

인공지능 윤리는 전 세계적으로 큰 이슈다. 인공지능 윤리의 문제는 '이루다'의 채팅용 말뭉치[4]가 보여준 것처럼 기계학습의 알고리즘과 데이터의 편향성에서 찾을 수 있다. 기계학습 알고리즘에는 젠더와 인종 등의 민족적 편견이 포함될 수 있다는 사례와 연구들이 계속 나오고 있다. 기계의 눈이라고 할 수 있는 컴퓨터 비전(소프트웨어)은 흑인보다는 백인을 잘 인식하고, 여성에 대한 정형화된 이미지를 중심으로 대상을 분류하고 이름을 붙인다. 이런 데이터 편향성의 문제는 특정 계층과 젠더, 인종의 이익이 될 수도 있고 반대로 차이를 만들고 누군가를 배제하거나 주변부화시킬 수 있다는 점이다. 그렇다면 왜 기계학습 알고리즘은 편향된 구조를 갖는 것일까?

하나의 예를 상상해 보자. 인권과 사회복지의 사각지대에 있는 사람들을 지원하기 위해 데이터를 수집한다고 할 때 그들의 건강이나 주거, 교육 등의

---

4. 텍스트를 컴퓨터가 읽을 수 있는 형태로 모아놓은
   언어 자료를 말한다.

불평등한 환경을 보여주는 데이터는 사회적으로 얼마나 정리되어 있을까? 최악의 상황은 필요한 데이터가 아닌 범죄 성향과 관련한 데이터가 더 많이 나올 수도 있을 것이다. 이처럼 데이터셋은 세계가 어떠한 계산적 속성과 함께 조정되고 있는지, 그 속에 가려지거나 부재하는 것들이 무엇인지를, 부상하는 기술의 내부에서 들여다볼 수 있는 중요한 요소이다.

몇 년 전 아마존 기업의 채용 과정에서 사용한 인공지능 프로그램의 훈련 데이터가 남성을 고용하려는 회사의 편견을 반영하고 있음이 알려지면서 문제가 되기도 했다. 인간이 인간과 주변 환경에 대해 갖는 관념과 믿음은 언제나 평등한 것이 아니었다. 차이를 만들고 배제하고 특정한 존재를 왜소화시키거나 주변부로 내모는 역사 속에서 인간은 문명을 만들며 생존해왔다. 이런 인간의 시각과 관점이 기계학습 데이터와 알고리즘에 반영되고 호환되는 것이다. 더 큰 문제는, 기술 시스템은 계산적 연산 법칙을 따르기 때문에 목적에 따라 특정 편견과 가치를 기계에 더 강화시키는 것도 가능하다는 점이다.

이런 데이터셋의 편향성이 발견되고 조정된 사례들을 통해 기술사회의 현재 모습을 들여다볼 수 있다. 2000년 6월 '타이니 이미지 데이터셋*Tiny Images Dataset*'을 공식적으로 폐기하는 사례가 있었다. 이 데이터는 비전 데이터셋을 위한 이미지 라이브러리로 MIT와 뉴욕대학교가 구축했다. 2006년부터 인터넷 검색 엔진에서 특정 명사의 필터링(53,464개)을 통해서 자동으로 데이터가 수집되었고, 약 8천만 개 이미지로 데이터 묶음이 구성되었다. 기계학습을 목적으로 하는 이미지는 데이터셋 이름의 '타이니'라는 표현처럼 매우 작아서(32×32픽셀) 인간의 시각으로 인식하기 어려운 것이었다. 이 데이터셋에 편견적 이미지와 경멸적 용어가 일부 포함되어 있다는 사실을 외부 연구자들이 발견했고, 데이터셋을 만든 연구진들은 데이터셋을 바로 폐기했다. 데이터셋을 만들고 스스로 폐기한 연구진들은 폐기 이유에 대해 너무도 당연한 말을 했다. "데이터가 인공지능 시스템의 편견에 기여할 수 있다는 것은 '컴퓨터 비전' 커뮤니티가 지향해야 하는 포용성과 가치에 반하는 것"이라고 말이다. 데이터셋은 10년 넘게 오랫동안 사용되었지만, 문제점이 밝혀졌을 때 가차 없이 폐기하려는 논의와 노력이 일어났고, 연구를 위해 데이터를 공유하고 있는 사람들에게도 삭제를 요청했다. 또한 방대한 시각적 데이터로 인공지능 기술 발전에 큰 역할을 하는 '이미지넷*ImageNet*'(1,400만 개 이상의 이미지 데이터)의 경우도 이미지 라벨링의 분류 체계 및 주석에 차별과 편견을 담고 있다는 문제 제기를 받아들이고 이미지넷의 공정한 데이터셋을 위한 모색을 지속하고 있다.

인공지능에 대한 열망이 커지면서 많은 데이터셋이 만들어지고 모델링되고 이름 붙여진다. 어떤 것은 기계에 의해 자동으로 수집·분류·학습되고, 어떤 것은 인간이 직접 레이블링하고 데이터로 변환한다. 그렇다면 우려되는 데이터셋과 기계학습 알고리즘의 편향성에 대해 개인과 커뮤니티 차원에서는 어떻게 접근하고 개선할 수 있을까?

제어하기 어려운 알고리즘의 자동화 검색과 분류,
인간의 판단에 근거한 데이터의 분류와 주석에
대해 정확도를 요구하고 모니터링하며 감시하는
것도 중요하지만 사회 전체가 세상을 보는 방식을
변화시키는 연습이 더 필요하다. 그 과정은 지금까지
보지 않았던 것, 관심을 두지 않았던 것, 연결하지
않았던 것을 새롭게 학습하는 과정이자 기술에 대한
관찰과 개입, 관점의 전환을 만드는 것이기도 하다.

알고리즘에 개입하기 | 부재하는 데이터셋[5]

기술에 대해 비판적인 관점을 갖는 방법으로
데이터셋을 스스로 그리고 함께 구성해볼 수 있다.
이는 데이터로 세상을 재구성하고 데이터로 세상을
보는 경험이다. 인공지능 시스템을 만들고 기계학습
훈련에 사용할 때 어떤 데이터가 어떤 절차로 수집되고
사용되었는지는 매우 중요한 문제이지만 그것을
투명하게 알기는 어렵다. 그래서 데이터셋에 기반한
기계학습은 문제를 예측하고 결과를 도출할 수 있지만
다른 한편으로는 사회의 편견과 차별을 복제 또는
강화하거나, 편향된 조작이라는 새로운 문제를 만들
수 있다. 그렇다면 역으로 데이터셋과 알고리즘에

---

5. '부재하는 데이터셋'은 2021년
포킹룸(www.forkingroom.kr)의 주제에서
가져온 표현이다. 이 글에서 정리한 기계학습과
알고리즘에 대한 질문은 포킹룸의 활동 내용을
참고했음을 밝혀둔다.

가려지거나 왜소화되거나 부재하는 것들이 무엇인지 들여다보고 이들을 데이터셋으로 생성하는 일도 가능할 것이다. 이런 과정은 미디어에서 재현되는 특정 계층에 대한 편향된 관점을 비평과 또 다른 콘텐츠 제작을 통해 바로잡는 것과 같다. 기술로 매개되는 알고리즘의 편향성에도 기술 비평적 접근을 할 수 있는 것이다.

이런 관점과 방법론을 실험하고 실천하는 활동과 연구 작업이 다양한 그룹에서 시도되고 있다. 포킹룸*forkingroom*⁶은 예술가와 연구자들이 함께 '부재하는 데이터셋'을 주제로 리서치를 진행하며 "데이터셋을 들여다보는 것은 한 시대가 마주하는 새로운 기술적 관습을 둘러싼 문화정치적 함의를 바라보는 것이면서, 우리가 인지해왔던 문화적 예술적 관점을 재조정하는" 것이라는 제언을 내놓았다. 작가이자 연구자인 미미 오누오하*Mimi Onuoha*는 프로젝트 〈누락된 데이터셋의 라이브러리*The Library of Missing Datasets*〉에서 "데이터가 포화한 공간에 존재하는 공백"에 대해 말함으로써 데이터 수집과 의미화에서 누락되는 세대와 계층, 커뮤니티(노인, LGBT, 이민자 등)의 부당한 현실을 드러낸다. 디자인 사고 방법론을

---

6. 포킹(forking)은 '가지치기하다'라는 의미를 가진다. 오픈소스 문화에서는 코드나 기술이 여러 개의 버전으로 분기되는 과정을 '포킹'이라 표현하기도 한다. 포킹룸은 이러한 '가지치기'가 갖는 공통적이면서도 개별적인 분기를 실행의 모형으로 두고 전시, 워크숍, 강연, 토크 등을 진행하는 일시적 플랫폼이자 연속적 프로젝트다.

가이드 삼아 기계학습 소프트웨어에 대해 페미니즘의
시각으로 비판적이고 예술적 접근을 시도하는 〈데이터
페미니즘 데이터셋*Data Feminism Dataset*〉 프로젝트는
윤리적 소프트웨어에 대한 고민과 함께 인공지능
개발까지 염두에 두고 연구 및 커뮤니티 워크숍을
진행하고 있다. 또한 대중의 서사에서 지워진 이름 없는
여성들의 역사를 다시 쓰는 프로젝트가 예술가들의
작업에서 다수 발견된다. 이들은 이주여성의 지역
사진과 가족사진을 데이터로 모으고 기계학습과
교차하며 이주여성의 기억에 관해 이야기를 전개한다.
이런 데이터셋과 기계학습 모델을 이용해서 다른
속성을 갖는 문화적 매체로 재구성하는 활동들이
예술의 영역에서 일어나고 있는 것은 흥미로운 일이다.
그리고 기계학습을 미디어 도구나 매체 삼아 서사를
재구성하고 사회적 논의를 촉발하는 액터의 역할로
참여시키는 것이 주목되는 점이기도 하다.

　　　이런 활동은 기술의 이면에 작동하는 사회문화적
메커니즘을 탐색하며 동시에 기술의 알고리즘이
어떻게 작동하는지 숨겨진 구조를 다른 측면에서
들여다보며 비평적 발언의 기회를 더 만들고 사람들을
참여시키며 논의의 장을 형성할 수 있다. 또한 블랙박스
같은 기술 알고리즘의 매개 변수로 자신을 위치시키는
개입이자 간섭이기도 하다.

메이크랩, 〈시시포스 데이터셋〉, 증폭된 돌 이미지 1만장으로 이루어진 영상, 15분, 2020

￪연에 대한 인간의 추출적 욕망을 드러내는 아이러니한 데이터셋. 이 돌들은 인간에 의해
￪들어진 거대한 모래산에서 옮겨온 돌들로, 깨어진 외곽을 가지고 있다. '시시포스의
￪화'에서의 인간 중심적 서사와 욕망, 여정을 벗어나 돌을 주체로 재구성한 것이다.

언메이크랩, 〈This Canary Does Not Exist〉, GAN(생성적 적대 신경망)으로 생성한 이미지, 2022

포킹룸의 2022년 리서치랩 〈합성계의 카나리아〉에서 제작한 가상의 데이터셋.
이 카나리아들은 실제 세상에서 추출된 것이 아니라, 연산을 통해 생성된 이미지들이다.

앞서 제안한 '부재하는 데이터셋 만들기'가 데이터셋을 통해 타자의 존재를 드러내거나 다른 분류의 체계로 세상을 구성하며 기술에 비판적으로 개입하는 사고와 실천의 과정이라면 '데이터셋을 팅커링하기'는 작은 데이터셋으로 컴퓨터가 기계학습을 수행하는 방법을 직접 배우며 데이터셋에 대해 탐사적, 교육적으로 접근하는 방법이라고 할 수 있다. 이것을 가능하게 하는 기술적 장치는 기초적인 인공지능과 기계학습을 배울 수 있는 교육자료(도구와 리소스)와 웹 플랫폼의 활용이다.[8] 데이터셋은 클수록 통찰력을 얻기 힘들기

---

7. 팅커링(tinkering)은 명확한 목적의식이 없는 상황에서 주변의 재료와 도구를 만지거나 놀면서 뜻밖의 발견을 하는 활동을 말한다. 기술과 놀면서 하드웨어와 소프트웨어의 다양한 가능성을 탐구하는 것이 중요하다. 기존의 기술을 재활용하거나 해킹하는 것은 팅커링의 가장 좋은 방법의 하나다.

8. 초보자가 복잡한 코딩 없이 이용할 수 있는 인공지능 웹서비스로는 티쳐블머신(https://teachablemachine.withgoogle.com), 머신러닝포키드(https://machinelearningforkids.co.uk), 코그니메이트(http://cognimates.me) 등을 살펴볼 수 있다. 구글 플랫폼인 티쳐블머신은 대규모 데이터에서 학습된 알고리즘을 적용하는 전이학습모델 프레임워크를 사용한다. 컴퓨터에서 물체, 음성, 동작 인식이 가능하고 '데이터 수집-학습-예측'이라는 3단계의 기계학습 과정을 경험할 수 있다. 다른 인공지능 웹서비스도 비슷한 운영 메커니즘을 가지고 있고, 스크래치나 엠블록 등 교육용 프로그래밍 환경을 연결해서 더 다양한 활동을 만들 수 있다. 파이썬(Python)같은 프로그래밍 언어를 사용한다면 '텐서플로(TensorFlow)', 'ml5.js'처럼 기계학습에 사용되는 오픈소스 라이브러리를 사용할 수 있다.

데이터셋 그리고 팅커링

때문에 초보자는 작은 데이터셋에서 시작해서
데이터와 알고리즘의 복잡성을 줄이며 접근해가는
방법이 효과적이다.

　　최근에는 아두이노[9]와 같은 소형 보드 모델처럼
인공지능 알고리즘이 장착된 컴퓨팅 보드들이 새롭게
개발되고 오픈 데이터들이 많이 공개되고 있어서 둘을
연결해서 손쉽게 인공지능 시스템을 다룰 기회가
늘어날 것으로 보인다. 이런 기술 장치들은 어려운
기술의 벽을 넘어서 쉽게 배울 수 있는 기회이기도
하다. 하지만 먼저 고려할 것은 기술의 기초가 되는
도구나 리소스를 잘 다루는 것보다 하나의 기술을
이해하고 관점을 갖는 태도도 함께 생각해야 한다는
점이다. 이 접근을 위해 인공지능, 기계학습 과정에
제작적 태도를 연결해서 참고할 수 있을 것으로 보인다.
해킹, 팅커링, DIY, 디버깅 등의 제작 방법은 기술을
이해하고 만나는 관점과 태도를 형성하는 데 좋은
요소가 될 수 있다. 해킹은 기계(기술)를 분해해 그것의
구조나 작동 원리를 이해하고 새로운 것을 만들어내는
행위로, 팅커링은 '두서없지만 융통성 있는 방식으로
무언가를 고치거나 용도변경을 시도하는 것'이자
기존의 성질을 전유하는 놀이적 요소가 될 수 있다.

---

9. 오픈소스를 기반으로 한 입력과 출력이 가능한
　소형 컴퓨터 보드와 환경을 말한다. 제어가
　비교적 쉽고 저가로 판매되면서 메이커 문화의
　부흥에 기여했다. 인공지능 학습을 위해서는
　복잡한 연산 속도 처리가 가능한 컴퓨팅 파워와
　대규모 데이터가 필요하다. 이런 문제들은 AI
　컴퓨팅 키트, 클라우드 기반의 컴퓨팅 연산, 오픈
　데이터를 통해 이용 및 해결되고 있다.

또한 '직접 해 봄으로 알기*Learning by doing*'라는 지식의
실천이 함께 작동하는 장점이 있다. 따라서 '데이터셋을
팅커링하기'는 인공지능이라는 어려운 기술의 장벽을
자율적이고 자유롭게 더듬어가며 데이터 구성이
인공지능 결과에 어떻게 영향을 미치는지 비판적으로
접근해 보는 교육 방법이 될 수 있다.

'데이터셋을 팅커링하기'는 우선 자신의 일상과
주변에서 데이터를 찾고 수집하는 데서 출발할 수
있다. "누구를 위한 것인지?" 또 "누구에게 불평등할
수 있는지?"와 같은 질문으로 데이터의 쓰임과 목적을
질문하고 토론할 수 있으며 나아가 데이터셋에 자신의
관심과 이슈를 투영하고 동시대의 문제를 이야기하는
도구와 방법으로 끌어올 수 있다. 기계학습의 개선을
위해 다시 데이터셋을 보완하고 개선하는 과정에서
인공지능, 기계학습, 데이터셋을 다양한 관점으로
들여다볼 수 있게 된다. 이런 과정에서 인공지능이
어떻게 훈련하고 어떻게 학습하는지를 보면서 오류를
알아내고 개선하는 방법으로 기술의 작동 메커니즘과
이면에 연결된 사회적 메커니즘을 함께 이야기 나눌
수 있다. 거대한 IT 플랫폼들이 만들어내는 인공지능의
비판적 이용자가 되기 위해, 또는 이것을 우회해서 다른
이야기를 하기 위해, 우리는 제작문화에 내재한 태도를
메타적으로 사유하고 참조 삼으며 기술과의 관계를
비로소 들여다볼 수 있을 것이다.

누구나 알고 있듯이 인공지능은 혁신의 사례를
만들어내기도 하지만, 더불어 그 기술적 또는 윤리적
결함들은 크든 작든 계속 드러날 것이다. 그것이

아무리 작은 결함이라 할지라도 잠재되고 누적되고 지속됨으로써 가져오는 사회적 문제는 클 것으로 예상된다. 이 문제들을 우리가 어떻게 다룰 것인가 하는 질문과 새로운 인식이 기술적 환경을 만들어가는 사람과 이용자 모두에게 필요한 것이다. 급변하는 사회에서 인간 중심의 위상을 다시 보는 반성의 관점과 질문들이 생겨나고 있다. 데이터셋도 이 질문에 함께할 수 있다. 데이터와 알고리즘, 기계에 투영된 인간의 관념과 신념, 믿음에 대한 지식과 인식은 어떻게 형성되었는지, 그것은 누구를 위한 것인지, 그리고 여전히 유효한 것인지.

퀴어 자손

헤더 데이비스(Heather Davis)

2014년 4월 11일, 노르웨이의 신문《더 로컬*The Local*》은 비욘 프릴룬*Bjørn Frilund* 씨가 대구를 잡아 내장을 제거하다 그 안에서 딜도를 발견했다고 보도했다. 기사 속 사진에는 낚시복을 입은 중년의 백인 남성이 큰 물고기를 앞에 두고, 두 손가락으로 오렌지색 딜도를 집은 채 씨익 웃고 있었다. 프릴룬 씨는 물고기가 딜도를 그 지역에서 흔히 발견되는 다양한 색깔의 먹이감 중 하나로 오인한 것으로 추측했다. 이렇게 해양 동물이

플라스틱 조각을 먹이로 오해한 사례는 처음 있는
일이 아니다. 고래부터 새, 거북이, 산호, 박테리아에
이르기까지 모두가 플라스틱을 먹은 적이 있는 것으로
알려졌다. 먹이로 잠시 오인했을 수도 있고, 또는
일부 지역에서 플랑크톤보다 여섯 배나 많은 바닷속
플라스틱을 걸러내지 못하기 때문일 수도 있다. 이
사례에서 흥미로운 지점은 해양 플라스틱이 비생식적
섹스 그리고 퀴어성의 미래와 묘하게 일치하는
지점이 있으며 분명히 얽혀있다는 점이다. 플라스틱이
증식하면서, 플라스틱을 에너지 자원이자 먹이로 삼는
새로운 박테리아가 생겨나고 있다. 플라스틱 및 관련
석유화학 물질들은 성별, 성적 지향, 종교적 믿음과
상관없이, 재생산성이 점점 더 섹스로부터 분리되는
미래를 예고하고 있다. 플라스틱은 이러한 화학적
환경을 감당할 수 있도록 적응된, 이상하고도 새로운

박테리아의 미래를 탄생시키며 비생식성에 일조하고 있다. 플라스틱은 어떤 종류의 자손인 것일까? 이들이 어떻게 퀴어의 삶, 그리고 (비)생산에 관한 질문과 교차할 수 있을까? 나아가 점점 더 생식하지 않는 우리의 미래를 고려하면, 퀴어 이론과 한번도 생물학적 재생산성을 목표로 둔 적 없었던 퀴어 주체의 구체화를 통해 우리가 무언가 배울 것이 있지 않을까?

딜도의 사례에서 볼 수 있듯이 엄청난 양의 플라스틱 쓰레기가 바다로 흘러간다. 이 현상은 다양한 메커니즘을 통해 일어난다. 플라스틱은 쓰레기 트럭에서 의도치 않게 호수와 강으로 흘러 개울과 하수관을 따라 바다로 배출된다. 적절한 폐기물 관리 시스템이 없는 국가의 경우 플라스틱은 종종 강둑 근처에 있는 비허가 쓰레기장에 버려진다. 또한 화장품이나 치약에서 발견되는 마이크로비즈, 양털이나 스키니진과 같은 합성 의류를 한 번 세탁할 때마다 2천 개씩 발생하는 섬유 플라스틱은 직접 배수관으로 흘러들어가 상수도로 유입될 수도 있다.[1] 온전한 형태의 딜도와 달리 바다로 흘러가는 대부분의 플라스틱은 직경이 1센티미터 미만인 매우 작은 미세플라스틱이다. 플라스틱은 자연적으로 분해되는 경우는 거의 없지만 태양에 노출되면 쉽게 망가지며 파도의 작용에 따라 금이 가고 부서지고 찢어진다. 해양에서 확산되는

1. Amley Coulombe, "Fleece clothing major contributor of microplastics in water," *Canadian Geographic*, March 29, 2016, (www.canadiangeographic.ca/blog/posting.asp?ID=1917).

플라스틱은 근본적으로 생명과 그 관계를 재편하고
있다. 가장 놀라운 예 중 하나는, 플라스틱이 새로운
형태의 서식지가 되고 있다는 것이다. 바다에서
발견되는 미세플라스틱은 박테리아와 바이러스를
위한 생물다양성 생태계의 구명보트가 되어가고 있다.
즉 '플라스틱스피어*plastisphere*'라고 불리는, 1천 개가
넘는 다양한 종들이 한 조각의 미세플라스틱 위에서
살고 있는 생태계가 발견된 것이다.[2] 이 박테리아와
바이러스들이 플라스틱을 먹고 있는 것인지, 아니면
단지 그냥 살기에 완벽한 환경을 찾은 것인지는
알 수 없다. 그러나 시간이 지나면, 이 활기 넘치게
달라붙어있는 공동체가 복잡한 박테리아 사회를
발전시켜 합성 물질의 표면에서 번성하고, 서로를
먹고, 무한한 탄소 에너지의 원천을 먹고, 돌연변이를
일으키며 진화할 가능성이 크다. 이는 생명의 놀라운
활력과 지속성, 그리고 가까이 있는 것을 증식과 번영을
위한 창조적 메커니즘으로 사용하는 능력을 보여준다.
    나는 이 새로운 미생물들을 인류의 후손으로
이해할 수 있다고 주장하고 싶다. 번식이라는 이종
규범적인 생물학적 명령에서 분리된 새로운 유형의
자손 말이다. 미셸 머피*Michelle Murphy*가 바네사 애거드
존스*Vanessa Agard-Jones*의 뒤를 이어 몬산토*Monsanto* 기업을
일종의 친족으로 이해할 수 있다고 주장한 것처럼, 이

2. Erik Zettler, Tracy Mincer and Linda Amaral-
   Zettler, "Life in the 'Plastisphere': Microbial
   Communities on Plastic Marine Debris,"
   Environmental Science and Technology 47
   (2013): 7137–7146.

거위목 따개비들이 달라붙은 페트병

새로운 박테리아는 화학 기업들, 자본의 축적, 현대성, 테크노 유토피아주의와 박테리아의 창의성으로 구성된 매트릭스가 생산한 **퀴어 자손**queer progeny으로 이해될 수 있다. 석유 화학의 관계는 단순히 파괴적일 뿐만 아니라, 혈통을 통한 친밀한 연결로 작용하고, 따라서 지구에 존재하는 방식의 연장으로, 플라스틱의 내구성과 새로운 형태의 박테리아 출현을 통해 확장되고 강화되는 것이다.

　　이러한 새로운 형태의 인류 혈통 또는 퀴어 자손은 인간 생식 시스템의 독성과 동시에 출현하고 있다. 플라스틱의 탓일 수도 있다. 플라스틱이 해양생태계를 변형시키기 시작하면서, 새로운 종류의 생태계와 친족의 형성을 야기할 뿐만 아니라, 유사한 분자 구조 때문에 살충제 및 난연제 같은 독소를 축적시키고 퍼뜨리고 있는 것이다. 다른 독성 화학 물질을 흡착하는 능력 외에도 가소제를 첨가한 플라스틱은 착색제로 쓰이거나 내열성과 같은 특정 성질을 재료에 부여한다. 이러한 플라스틱은 분자적으로 안정적이지 않아 침출되거나 가스를 분출하려는 성향이 있다. 아마도 가장 악명 높은 플라스틱은 암과 신경계 질환을 포함해 수많은 질병을 일으키는 '생식 독성reproductive toxicity'으로 알려진 비스페놀 A BPA일 것이다. 프탈레이트phthalates로도 일컬어지는 이 화학 물질들은 인체를 에스트로겐 호르몬에 과도하게 노출시키고 체내 호르몬을 모방해 그 기능을 대체하는 내분비 교란 물질을 통해 인체에 영향을 미치며, 때로는 그것이 존재하는 신체의 성별에 영향을 미친다. 이러한 퀴어링queering은 남성 태아의 여성화, 고환과 부고환의 위축, 전립선 크기 증가, 음경과 항문 사이의 거리 단축, 요도 입구의 비정상적인 위치, 성인 정자 매개 변수(정자 수, 운동성, 밀도) 등으로 나타난다.

플라스틱이 하천으로 바로 유입됨에 따라, 석유 화학 산업과 특정한 형태의 퀴어성 간에는 의도치 않은 충성심이 존재한다. 맥스 리보이론Max Liboiron은 묻는다. "남성 태아의 여성화는 비정상인가? 또는 병적이라고 할 수 있나? 해를 끼치는 형태인가? 레즈비언, 게이, 양성애자, 트랜스젠더, 퀴어LGBTQ 커뮤니티는 그렇지 않다고 주장해왔다. 화학 산업도 마찬가지이다."[3] 여기서 퀴어 형태의 생명체와 플라스틱 형태의 생명체 사이의 기묘한 연대가 극명하게 드러난다. 멸종과 재생산의 위협은 특히 멸종이 도래하는 위협 없이 퀴어 섹스를 하는 비인간 동물들에게서 감지되지만, 그들의 생식 체계는 여러 가지 이유로 인해 점점 더 기능을 잃고 있다. 그 이유 중 하나가 화학적인 파괴다. 우리가 규범을 거부하고 종을 가로질러 윤리적이고 공감적인 움직임을 상상할 수 있도록 도움을 주는 새로운 세계의 모델을 창조한다는 측면에서, 퀴어 이론은 무엇을 제안할 수 있을까?

젠더에 연동된 호르몬 체계의 재배열과 생식으로부터 분리된 성별로 가득찬 우리의 증진하는

---

3. Max Liboiron, "Plasticizers: A twenty-first-century miasma," in *Accumulation: The material politics of plastic* (Oxon: Routledge, 2013), 143.

비생식적 미래는, 리 에델만*Lee Edelman*이 『미래는 없다: 퀴어 이론과 죽음 충동*No Future: Queer Theory and Death Drive*』에서 분명히 밝힌 퀴어 정치와 일맥상통한다. 에델만은 아동에 호소하는 것이 거부할 수 없는 사회적 합의를 이끌어내는 방식임을 강조한다. 즉, 아동에 반대하는 것은 정치적으로 불가능하다. 재생산적 미래주의는 연속성이 투영된 환상으로서 사회적 상상과 정치적 담론을 조직한다. 그 중심에는, 실제 아이들의 경험과 분리된 아이들의 모습, 혹은 그 아이들이 자라서 될 수 있는 어른의 모습이 놓여있다. 아이는 종종 현재 사회 및 권력 형성을 지지하거나 유지하는 역할을 하는 상속의 특정한 표현 양태나 방식의 대리인이 된다. 환경 담론과 관련하여, 우리가 옹호해야 하는 것이 바로 재생산적 미래라는 개념이고, "우리의 자녀를 보호하자" 또는 "미래의 세대를 위하여 지구를 살리자"처럼 흔해빠진 호소로 나타날 때 특히 그렇다. 그러나 이러한 담론이 보호하고자 하는 것은 미래 어린이들의 건강이 아니라 특정한 삶의 방식을 유지하는 것이다.

에델만의 구성에서 '퀴어성*queerness*'이란 아동이 상징하는 사회적 재생산을 거부하는, 사회에 대한 부정적 관계를 뜻한다. 그는 "퀴어성이란 '아동을 위해 싸우는' 것이 아닌 쪽, 모든 정치가 재생산 미래주의의 절대적 가치를 인정하는 합의의 바깥쪽을 명명한다."[4]고 언급한다. 여기서 퀴어성은 이성애적 결합에 대한

---

4. Lee Edelman, *No Future: Queer Theory and the Death Drive* (Durham: Duke University Press, 2004), 3.

거부이자 생물학적 재생산의 사회적 필요에 대한
거부일 뿐만 아니라 아동이 사회 질서의 재생산을
대변한다는 인식과도 일치한다. 보수 우파 동성애
혐오자들이 신랄하게 비판하는 퀴어성은, 그들이
말하는 대로 미래의 종말과 사회적 혼란을 야기하는
시간에 대한 비목적론적 지향을 의미한다. 에델만은
퀴어들에게 "미래는 없다"고 주장한다. 그리고 이것은
에델만의 의견에 동의하는지 여부에 상관없이, 다양한
종류의 성행위를 규칙적으로 하지만 재생산은 하지
않는 많은 종들에게 이미 현실이다. 다시 말해, 세상이
현대 화학의 도래로 포화상태가 되면서, 내분비 교란의
다양한 형태 속에서 에델만의 퀴어 미래는 더 이상
특정한 정치적 위치가 아니라 오히려 생물학적 현실
속으로 스며들고 있다. 섹스를 하는 이들의 성별과
상관없이, 아이를 낳을 가능성은 점점 낮아지고 있다.
많은 종들에게 미래가 없는 상황에서 부정성에 대한
퀴어 이론의 주장은 시간성, 사회적 재생산 및 친족
관계를 재고하는 유용한 모델을 제공할 수 있다.

　　퀴어 이론에서 가장 중요한 통찰 중 하나는 신체의
경계를 당연시 여기지 말자는 주장이다. 이 담론에서
특히 유익한 통찰은 멜 첸*Mel Chen*이 이야기하는 '독성과
함께 살아가기*living with toxicity*'다. 독성은 분명 사라지지
않을 것이기 때문이다. 독성의 명백한 해악에도
불구하고, "독소와 독성의 퀴어한 생산성, 중독적이거나
쾌락을 유발하는 물질들의 헤아릴 수 있는 집합을
넘어선 생산성" 역시 존재한다. 또한 "독소라는 조건이

유발하는 쾌락, 사랑, 회복, 애정, 자산도 있다."[5] 이러한 경우에 독성은 삶의 생동감 넘치는 도구가 되며, 이상적이거나 목가적인 것과는 거리가 멀더라도, 세계를 본질적으로 얽힌 것으로 이해할 수 있게 하며, 그 세계 속에서 개별적인 장벽을 세우려는 시도는 결국 무의미하다. 독성이라는 조건 아래서 신체는, 스테이시 알라이모*Stacy Alaimo*가 '횡단신체성*trans-corporeality*'[6]이라고 언급했듯, 환경을 유쾌하고 파괴적인 방식으로 감싸게 된다. 퀴어성의 원자가*valence*[7]는 호기심을 일종의 척도 삼아 독성 문제에 접근하는 방법을 제공하며, 처음에는 규범으로부터의 원치 않는 일탈로 보일 수 있는 것이 또한 많은 여유와 능력을 수반하기도 한다는 사실을 보여준다. 마찬가지로, 플라스틱스피어가 우리 몸의 연장선이자 인류 친족 네트워크의 연장선이라고 진지하게 생각해본다면 어떨까? 플라스틱 및 기타 석유 화학 제품과 우리의 관계를 어떻게 재검토할 수 있을까?

갈수록 독성과 기후 붕괴로 점철되어가는 이 세상에서, 문화적이고 생물학적인 진화의 과정은 다소 기묘한*queer* 해결책을 제시하는 것처럼 보인다. 공포에 질려 주저앉거나, 생태적(이성애적) 규범성의 방향으로

---

5. Mel Y. Chen, *Animacies: Biopolitics, Racial Mattering, and Queer Affect* (Durham: Duke University Press, 2012), 211.

6. Stacy Alaimo, *Bodily Natures: Science, Environment and theMaterial Self* (Bloomington: Indiana University Press, 2010).

7. 원소가 화합물을 이룰 때 결합하게 되는 다른 원자의 개수.

후퇴하거나, 또는 완벽하게 종말론적 서사를 가진
도피처를 찾는 대신에, 첸이 묘사했듯이 "절망적이고,
고통스러우며, 극도로 부정적인 영향"과 하나가 되어
독성과 함께 살아갈 방법이 있지는 않을까? 성과
젠더가 점점 더 변하고 번식은 느려지는 미래에, 무언가
흥미롭고 생산적인 것이 존재할 수도 있지 않을까?
퀴어 독성의 확산이 정말 생물학적 증식의 새로운
길을 제공할 수 있을까? 생물학자 브루스 배지밀*Bruce*
*Bagemihl*은 "동성애를 포함하여 이러한 행동 가소성의
능력은 몹시 변화무쌍하고 '예측 불가능한' 세상에
'창조적으로' 반응할 수 있는 능력을 강화할 수 있다."[8]고
말한다.

　　　플라스틱이 온갖 종류의 새로운 세상을 무심코
창조하고 있는 것처럼, 화학적으로 유도된 생태계
파괴에 대처하기 위해서 우리는 보살핌, 연민, 헌신을
만들어내는 방식으로 인간과 비인간, 모든 이상한
생명체의 형태를 받아들이는 법을 배워야만 한다.
우리는 생물학이나 유전학에 얽매이지 않고, 종간
상호 의존성과 미래를 인정하는 시스템을 확산시키는
가족 돌봄의 세계를 구축하기 위해서 퀴어 주체로부터
배워야만 한다. 우리는 인간이 아닌 자손, 즉 기이하고
새로운 형태의 미생물 생명체에 대한 책임감을
길러야 한다. 동시에 그들의 존재는 인간, 동물,
식물, 박테리아와 같은 여러 다른 생명체의 멸종에
근거한다는 것을 인식해야 한다. 석유화학의 확산에

---

8. Bruce Bagemihl, *Biological Exuberance*
　(New York: St.Martin's Press, 1999), 251.

의존하는 경제 시스템이 이러한 방식의 진화를 부추길 때, 그 시스템에 연루되어 있는 우리는 우리의 퀴어 자손, 이 이상하고 새로운 박테리아 공동체, 그리고 독성의 증가 속에서 빈곤과 인종 차별이 낳는 대규모의 죽음과 무시무시한 살육을 고려할 필요가 있다.

　　허무주의적이고 종말론적인, 또는 테크노-유토피아적인 미래의 버전은 현재 사회 체제의 재생산으로 우리를 이끌 뿐이다. 미래가 퀴어적인 것이 되리라는 점을 인정한다는 것은, 완전히 파괴적인 의미에서, 미래의 열린 지평선에 대한 확신도 없이, 멸종, 독성과 함께 살아갈 방법을 찾는다는 것을 의미한다. 독성은 이미 도처에 있다. 그러나 퀴어성과 석유화학이라는 양면성과 그 기묘한 동맹을 수용한다는 것은 새로운 유형의 분석을 가능케 한다. 왜냐면 "퀴어 지식 생산은 조금 '비정상'이라는 주장을 포기하지 않으면서도 구조적인 구제 수단을 제공하기 때문이다."[9] 생물학에 기초하지 않은 퀴어한 사회 구조와 가족, 그리고 국가나 다른 권력기관으로부터 반드시 보호받지 못하는 삶이 주는 교훈은 우리의 퀴어 자손과 증가하는 불확실성으로 가득한 세상을 직면하는 데 도움이 될 수 있다. 생물학적인 아이들 대신에 우리의 플라스틱화된 미생물 자손은 확실히 더 퀴어한 세계를 제공할 것이다. 그 세계는 현재 이 순간의 폭력으로부터 태어나는 중이다.

---

9. Chen, *Animacies*, 220.

'무사히 할머니가 될 수 있을까'라는 질문에 대하여

김영옥

돌봄, 돌봄 부정의에 관한 담론

최근에 비혼을 지향하는 청년 페미니스트들과 대화할 기회가 몇 번 있었는데 그때마다 "무사히 할머니가 될 수 없을 것 같아 두렵다"는 말을 듣게 되었다. 10대와 20대에 페미니즘을 만나 각성한 여성 중에는 비혼을 선택함으로써 가부장제의 덫에서 빠져나와 자신만의 자유롭고 의미 있는 삶의 닻을 내리고자 결의하는 이들이 적지 않다. 그러나 30대를 바라보면서 무사히 할머니가 될 수 없을 것 같은 두려움에 서서히 잠식된다는 것이다. 사람의 가치를 지우고 자본의 증식에만 과몰입할 뿐 아니라 여전히 성차별이 강고한 노동시장으로 인한 생계 불안이 가장 큰 이유다. 그러나 이들이 직면하게 되는 두려움의 또 다른 측면은 특히 돌봄과 연관된다. 비혼을 선택함으로써 가부장제가 여성에게 덮어씌우는 각종 돌봄 노동에서 해방될 거라고 막연히 기대했는데, 그 기대가 허상임을 깨닫게 되는 것이다.

지난 몇 년간 돌봄 '위기'[1]에 관한 담론이 확산되면서, 돌봄과 무관하다고 여겼던 거의 모든 영역이 사실은 돌봄을 근간으로 하고 있음이 명료해지고 있다. 이 명료함이 시민사회와 국가 차원에서의 보편적 각성과 그에 따른 구체적·급진적 현실 변화로 이어지고 있진 않다. 그러나 서로 다른 영역과 일, 주제, 가치, 개인/개체를 엮고 사회를

---

1. 삶터에서건 일터에서건 여성들은 늘 무불 노동으로 돌봄을 수행해왔다. 가정뿐 아니라 자본주의/국가 체제 자체가 여성들의 돌봄 노동으로 유지되어왔고, 여성들의 삶은 그만큼 늘 위기에 빠져있었다. 마치 새로 등장한 현상인듯 돌봄 위기를 다루는 태도는 돌봄이 왜, 어떤 면에서 위기에 처했는지를 여전히 모르고 있음을 증명할 뿐이다. 젠더 이데올로기와 자본, 남성 국민 중심의 국가체계가 함께 구성한 돌봄 현실을 제대로 포착하기 위해서는 그래서 '돌봄 위기'보다 '돌봄 부정의(不正義)'라는 용어가 더 적절하다.

재생산하는 '보이지 않는 가슴'[2]에 관한 이해와 인정을
촉구하는 소리는 계속 커지고 있다. 자기 돌봄과 서로
돌봄, 함께 돌봄 같은 용어들이 사회성을 획득하고
폭넓게 유통된다. 이러한 경향 속에서 돌봄이라는
용어와 담론이 수사학 수준의 기호가 되어 그저
유행으로 떠돌며 거품효과만 잔뜩 내고 말 위험도
엿보인다. 자기 계발과 자기 돌봄의 차이가 무엇인지도
분명하지 않고, 관리라는 용어 대신 돌봄이라는 용어가
사용되고 있을 뿐인 경우도 많다. 돌봄 현실에 대한
포괄적이고 체화된 이해가 없는 상태에서 번지는 돌봄
위기 담론은 사회 구성원들의 의식을 변화시키기보다는
회피 심리를 강화하는 역효과를 낳기도 한다. 돌봄과
돌봄 담론 자체를 구체적 현장과 맥락, 서로 다른
영역_scale_에서의 진중하고 다면적인 토론과 성찰의
토대로 삼기에 앞서, 부정적이든 긍정적이든 어떤
경우에나 적용할 수 있는 일종의 만능 열쇠로 사용하고
있는 게 아닌지 질문해야 한다.

비혼주의와 돌봄 위기

비혼을 결의한 청년 페미니스트들의 불안 역시 이러한
흐름 속에 위치한다. 이들은 자신들 또한 원하든 원치

---

2. 애덤 스미스의 '보이지 않는 손'과 대구되는
   의미에서 돌봄 노동을 수행하는 마음을 뜻하는
   용어로, 경제학자 낸시 폴브레(Nancy Folbre)가
   쓴 표현이다.

않든 돌보는 사람으로 호명되고, 또 돌봄을 받는 의존의 상태에 있게 될 것임을, 돌봄에서 온전히 해방되는 삶이란 전혀 가능하지 않음을 '알게' 된다. (젊은데 아픈 게 아니라) 젊고 아픈, 그래서 누군가의 돌봄에 의존하는 사람들도 만나고 보고 듣게 된다. 갑자기 부모나 조부모를 돌보는 역할을 맡게 되기도 한다. '취약한 몸, 취약한 상태'는 결혼과는 무관하게 언제든 자신의 문제가 될 수 있음을, 코로나 재난을 거치며 더 빨리 더 절실하게 확인하게 되었다. 이 앎의 과정은 그러나 올곧은 직면으로 이어지기 어렵다. 돌봄이 모두의 보편적 덕성과 인권으로, 가족을 넘어서는 지역과 사회, 국가의 토대 문화로 힘을 발휘하지 못하기 때문이다.

　　돌봄의 여성화와 상업화, 재가족화를 가로지르며, 가치와 실천 양대 축에서 돌봄으로 사람살이를 새로 짜는 '혁명'은, 선언한다고 도래하는 건 아니다. 돌봄 혁명은 추구와 투쟁, 반성과 결의의 선순환 속에서, 무엇보다 돌보는 구체적 행위 속에서 한 걸음 한 걸음 다가올 것이다. 이것은 돌봄 '해방'이라는 지평 자체가 생명체에 관한 무지나 오인에 기반을 두고 설정되었음을 거듭 깨닫게 되는 과정이기도 하다. 인간을 경계가 분명하고 독립적인 개인으로 설정한 근대 이후, 의존은 언제나 상호의존이 아닌 한 방향의 의존으로 인지되었고, 자본주의적 생산성 잣대로 평가되었다.

　　'사람은 무엇으로 어떻게 사는가'에 관해 페미니스트 윤리 철학자들이 오랜 시간 다져온 다른

관점, 다른 지식은 그동안 지식 체계의 변방으로
내몰려왔다. 그런데 '인간은 의존적이다'라는 사실에서
출발해 인간의 삶이 상호의존을 통한 공생으로만
가능함을 밝힌 이들의 시선은, 인간 사회뿐 아니라
지구생태계 전체가 파멸의 위기에 직면한 현재 한층
더 급진적인 통찰로 이동하고 있다. 모든 생명체는
경계가 분명한 개체로서 상호의존하는 것이 아니라,
근본적으로 서로 얽혀있는, 안으로 밖으로 서로 말리고
펼쳐지는 '접속-접합체'로서 공생하고 공산共産하며,
공진화共進化[3]한다는 것이다. 해러웨이를 비롯해
신유물론을 펼치는 여성 (과학)철학자들의 이론은
인류세 또는 자본세라 불리는 지금, 그 어느 때보다
강렬하게 근대 인간관과 적자생존의 진화론을
뒤흔든다.

할머니와의 접촉면이 늘어난다면

그러나 무사히 할머니가 될 수 없을까 봐, 돌봄이
필요할 때 곁에 아무도 없을까 봐, 정작 자신은 돌봄의
자원을 전혀 확보하지 못한 채 돌봄 제공자로 호명될까
봐 불안한 청년들이 늘고 있는 이유는, 이들이 삶을
이럭저럭 살아내고 있는 현실 속 노년들을 별로 만난
적이 없기 때문이기도 하다. 혹은 매우 표피적으로,

---

3. 이에 관해서는 도나 해러웨이(Donna
   Haraway)의 『트러블과 함께하기 – 자식이 아니라
   친척을 만들자』를 참조할 것.

스며듦이나 섞임 없이 만났기 때문이다. 노년에 대한 피상적 관점은 이주노동자나 성 소수자, 장애인 등 여타의 사회적 소수자나 약자에 대한 관점과 유사하게 '제조'된다. 직접 만나 부대끼고 섞여든 경험 없이 소문의 조각들로 짜깁기된 이미지는 더 비참하고 추레하다. 그리고 더 강한 영향력을 행사한다.

늙음에 대한 두려움은, 사실은, 늙어서 추락할 것에 관한 두려움이다. 애매모호하게 상상되고 매개된 두려움이다. 문제는 변화를 회피하지 않는 직면, 그리고 변화를 새로움으로 지각하게 돕는 호기심의 유지다. 직면과 호기심의 두 축이 서로 밀당하며 잘 협업하면, '더 늙고 병들더라도, 더 하강하더라도 어떻게든 살아지겠지'의 감각을 얻게 될 것이다. 공적 안전망의 구축으로 개별 노년들의 의존적 삶을 '보호'하려는 시도는, 현실 속 개별 노년들의 삶 안으로 들어가 직접 접촉함으로써 지각하게 되는 늙음의 이해와 동행하지 않으면 타자화와 피상적 시혜의 효과를 피하기 어렵다.

현실 속 할머니들은 몸 여기저기 안 아픈 데가 없어도, 혼자여서 외로워도, 돈이 없어 쪽방에 살아도, 인지 장애로 일상의 수행이 어려워져도, 할 수 있는 만큼 일하고 움직이며 산다. 돌봄을 받는 한편 자신도 다른 이들이나 주변 무/생물을 돌보며, 몸이 영 안 따라주면 엉덩이로 움직이면서라도 방도 쓸고 닦으며,『아흔일곱 번의 봄여름가을겨울』을 펴낸 이옥남처럼 늦게 배운 한글로 삐뚤빼뚤 일기도 쓰며, 따스한 햇볕 속에 평온한 시선을 풀어놓으며, 존재하고, 산다. 덧붙이자면, 비노년들이 흔히 오해하듯 이 시선은 늙고 쇠락함을 증명하는 '초점 없는 눈'이 아니다. 더 이상 경쟁하거나 판단하지 않는, 평온한 눈이다. 적지 않은 경우 그렇다.

늙는 게 뭐라고!

노년/기의 삶을 두고 비노년들이 갖게 되는 이 매개된 두려움에 나는, 『사는 게 뭐라고』와 『죽는 게 뭐라고』라는 책을 낸 사노 요코さのようこ의 말투를 흉내 내, "늙는 게 뭐라고"라는 말로 반응하고 싶다. 늙는 게 아무런 배움 없이도 가능한, 그저 '자연'에 속하는 일이라는 뜻이 아니다. 다른 생애 단계가 그렇듯 늙어서의 삶도 살아져서 사는 삶이기도 하고, 살려고 애써서 사는 삶이기도 하다는 뜻이다. 늙음은 현상이고, 현상인 만큼 사회문화적 해석의 틀에 갇힌다. 그래서 다면적으로 배우고 연습해야 하는 일이다. 자본주의적 생산성과 효율성, 그리고 의존과 돌봄에 관한 상투적이고 편협한 통념 때문에 노년기는 유독 부정과 부인의 메커니즘에 휘둘린다. 고령자가 늘어나면서 이 메커니즘은 빠른 속도로 내면화되고, 실버산업은 각종 건강 상품과 미용 상품, 심지어 여행 등 문화 상품으로 '신중년의 유예 기간'을 늘려준다는 한 다발의 약속을 제시한다. 꽤 많은 신중년이, 초짜 노년들이, 이 약속을 믿고 늙음과 질병, 더 나아가 죽음을 혐오하는 자기모순에 빠진다. 잔혹한 낙관주의의 논리적인 역설이다. 아픈 몸과 늙음, 죽음을 혐오하고 존중하지 않는 문화가 돌봄 부정의와 맞물려 상상 속 노년기를

'무사히 할머니가 될 수 있을까'라는 질문에 대하여

절망과 불안의 안개로 덮어버린다. 이 시류에 맞서,
"늙는 중입니다"라고 편안하게 말하는 사람들이
늘어나길 희망하지만, 물론 쉬운 일은 아니다.

나, 초짜 할머니

이미 '할머니 되기'의 과정에 들어섰지만 나 역시
'무사히 할머니'가 되는 것을 순탄한 과정으로
생각하지만은 않는다. 내가 '무사히 할머니'가 되지
못한다면 어림잡아 두 개의 이유 때문일 것이다. 우선
나 자신의 성격이나 멘탈 문제가 있고, 동시에 희망을
고갈시키는 세상의 문제가 있다. 성격이나 멘탈은
세상과 서로 영향을 주고받으며 구성된다. 여기에는
풍자를 허용하지 않는 심각함이 있다. 나는 때때로
걱정스러울 정도의 우울감에 빠진다. 더 노골적으로 더
전문적으로 자행되는 성폭력과 여성 혐오, 죽고 또 죽는
노동자들, 궁여지책으로 만들어졌으니 현실 개선에는
별 도움이 되지 않을 것 같은 중대재해기업처벌법,
15년째 '나중에'로 밀리는 차별금지법 제정, 점점
세상을 뒤덮는 플라스틱, 탐욕스럽게 지상의 온갖
생명을 식탁 위에 올리는 식문화, 지구 곳곳을 불태우는
기후위기, 착취당하고 살해당하는 동물들. 위기라는
말이 어느새 모든 상황에서 인용할 수 있는 일상어가
되었고, 위기에 제대로 대처해보자는 노력으로
사용하기 시작한 '정의'도 이미 그 날카로움을 빼앗긴
것 같다. 경고를 외치는 사람들과 이미 증상을 앓고

있는 사람들, 무감각 상태에 머무는 사람들 사이의 틈은
점점 더 벌어지고 있다.

　나의 불안과 우울은 소소한 일에도 흡착의 힘을
발휘한다. 예를 들어 두터운 모피 코트를 입고 등장하는
주인공 때문에 더이상 영화 〈캐롤〉을 좋아할 수 없고,
반찬가게에서 사용하는 플라스틱 반찬통들 때문에,
그 가게 반찬이 입맛에 맞아도 감히 살 수가 없다.
그러나 이런 식의 신경증적 반응이란 저 고삐 풀린
자본의 탐욕 앞에서, 거대한 공장식 축산업 앞에서,
불타는 지구 앞에서 얼마나 무기력한가. 넷플릭스에서
송출하는 드라마 〈오징어 게임〉과 〈지옥〉이 전 지구적
반응을 얻고 있는 걸 보면 나만 이런 무기력증과
총체적 좌절을 경험하고 있는 건 아닌 게 분명하다.

도래한 파국 앞에서

20세기 초 유럽은 종말론에 몰두해있었다. 인류의
역사는 종말의 징후를 나타내고 있는데, 이 임박한
파국 앞에서 인간이 할 수 있는 일은 무엇인가. 질문과
성찰 속에서 '메시아'라는 역사-상징적 이미지가
강력한 힘을 발휘했다. 철학가들은 역사 읽기를 통한
'메시아적' 과제 수행으로 파국을 향해 치닫는 역사를
멈추게 하자고 제안했다.

　그리고, 지금 우리는 다시 종말론적 징후들의
더미를 마주하고 있다. 이보다 더 명료한 징후들이
필요할까 싶을 정도로 파국의 잔해들은 쌓여가지만

243

'역사의 천사'[4]를 머물게 할 대전환이 일어날 가능성은 별로 없어 보인다. 넷플릭스는 〈오징어 게임〉과 〈지옥〉으로 엄청난 수익을 올린다. 그러나 이 이야기들이 노골적으로, 너무나 노골적으로 드러내는 '도래한 파국'에 대해 사적 삶이나 공적 삶에서 어떤 '전환'이 일고 있는지? 파국 자체가 오락이 되고 있다고 말하고 싶지는 않다. 기후(부)정의를 외치며, "왜 당신들은 나의 오늘과 내일을 다 파괴하고 있는가"라며 눈물로 분노하고 있는 십 대들을 마주하면 죄책감과 책임감에 온몸이 쪼그라드는 것 같다. 해러웨이는 이런 상황을 두고 비상사태^{emergency}보다 긴급성^{urgency}이라는 말을 쓰고 싶다고 했는데, 그만큼 긴박한 현재를 표현하고 싶어서일 것이다. 그는 이 긴급성을 대하는 두 개의 태도, 즉 "기술혁신으로 충분히 극복할 수 있다"는 기술지상주의적·자본주의적 낙관론과 "게임은 이미 끝났다"는 냉소주의 모두 답이 될 수 없다고 강조한다. 기술의 힘을 믿고 낙관하기에는 바로 그 기술자본주의가 이 파국의 토대이며, 냉소주의에 빠져있기에는 미래를 살아가야 할 세대를 위해서도 '구원'과 '부활'을 꼭 이루어내야 할 '메시아적' 과제가 우리의 어깨 위에 놓여있기 때문이다. 그러나 이

---

4. 발터 벤야민(Walter Benjamin)은 「역사의 개념에 대하여」라는 글에서 파울 클레(Paul Klee)의 그림 〈새로운 천사〉를 역사철학적으로 전유해 '역사의 천사'라고 부른다. 벤야민은 '앞으로 전진하라'는 발전주의 진보사관에 맞서 "야만의 기록이 아닌 문화의 기록이란 없다"는 명제를 내세웠다. '죽었으나 죽지 않은 이들'이 기다리고 있는 구원의 순간을 위해 역사의 천사는 멈추고 싶지만 진보의 광풍은 천사를 계속 앞으로 내몬다.

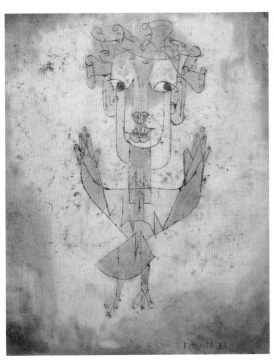

'우리'는 누구인가. 어떻게 구성되는가. '나 개인'들의
연대체인가.

'나 개인'이라는 단위

80세가 넘어 쓴 『모든 것의 가장자리에서』라는
책에서 파커 J. 파머*Parker J. Pamer*는 자신이 20대일 때
케네디*John F. Kennedy*의 암살 사건을 맞닥뜨려 극심한
우울증을 앓았다는 이야기를 전한다. 코로나 재난을
통과하며 나는 종종 그의 이야기를 떠올렸다. 코로나
재난은 전 지구적으로 수많은 사람을 정신적 공황
상태에 빠뜨렸다. 인류가 얼마나 집요하고 일관되게

245

생태계를 파괴하며 총체적 재난의 사태를 만들어
왔는가는 단순히 '인류세'라는 용어의 발명만으로
충분히 설명될 수 없다. 일상에서 거의 사라진 용어였던
'인류'가 '인류세'라는 단어와 함께 다시 사람들의 의식
속에서 일깨워졌다. 각 개인이 바로 인류의 일부로서
살고 있다는 감각을 환기하고, '인류애'의 정동을
되살리는 일도 일어났다. 자신 또한 '파괴 발전주의'라는
기계의 모터를 돌리는 한 사람이라는 사실을 인지하게
되었다. 이러한 깨달음의 모먼트는, 그 기계의
위력이 너무나 불가사의하고 '우주적 차원'이어서
전환을 꿈꾸는 데도 우주적 힘이 필요하다는 절망적
깨달음으로 이어진다. 그래서 '인류세'라는 용어
하나를 발명한 것으로 한 줌의 위안을 얻고 다시 '파괴
발전주의'의 모터를 돌리러 가는 역설이 반복된다. 나를
비롯해 지금 신경증적 우울을 겪는 사람들은 이 지점에
있다. 아마 파커 J. 파머도 비슷한 지점에서 우울증을
앓았던 것은 아닐까. 정치경제가 초래한 물리적 변화의
한가운데서 새로 발명한 몇 개의 용어로 분석하고
논하는 것 외에 달리 할 수 있는 게 없는 것처럼 보일
때 우리를 덮치는 이 절망감 말이다. '나 개인'이 인류
역사의 '이미 도래한 파국'을 논하는 다양한 텍스트의
독해와 생산에 가담한다고 이 위기를 진정 기회로
만들 수 있을까. 부정의를 부수고 정의를 안착시킬 수
있을까. 지금 현 상황이 세계를 움직이는 결정권자들과
민중의 싸움이라면, 그리고 '민중'도 천차만별로 갈라져
있다면, 이 싸움은 어디로 튈 것인가. 내가 이 싸움에
가담하는 형태는 어때야 하는가. 내 사적 인생에

개입하고 있는, 아니 더 정확히 말하자면, 내 사적
인생이 가담하고 있는 생태계의 경로가 계속 위기의
낭떠러지로 밀리고 있는데, 나는 어떤 정치적 실천을 할
수 있는가. '나 개인'이 구현할 힘은, 저 휘몰아치는 위력
앞에서 얼마나 미미한가. '나 개인'이라는 단위가 취할
수 있는 행동은 무엇인가. 현재뿐 아니라 미래를 빼앗긴
청(소)년 세대들의 '어른들'을 향한 분노의 외침에
응답할 능력이 내게 있을까. '늙는 중'인 우리에게
있을까.

늙는 일은 무릅쓰는 일이다 : 묵시록을 대하는 할머니의 태도

페미니스트 윤리는 응답-능력*response-ability*을 늘
강조해왔다. 실제로 무의식적인 습習이 될 만큼
단련해왔다. 그렇다면 지금이야말로 이 응답-능력의
습을 전면적으로, 급진적으로 펼쳐야 할 때다. 그 어느
때보다 이 능력이 요청된다. 자아와 타자의 관계를
종과 종 간의 삶으로, 생태적 관계성으로 확장해야
한다. 이것은 응답-능력이라는 페미니스트 윤리에
의해 고무된 생태학이다. 이 생태적 관계성은 '나
개인'의 단위를 재설정하도록 이끈다. 나 개인이
무수한 다른 존재들과 얽혀있다는 지각, 다른 존재들
안에 깃들어있다는 지각으로 이끈다.('기생'이어도
괜찮다, 사실 '우리'란 상호 기생한다.) 인간과 동식물,
무생물, 사물 간의 얽힘, 감응, 안으로 밖으로 말리고
펼쳐짐, 파열에 진지한 관심을 기울이도록 촉구한다.

늙는 중인, 앞으로도 계속해서 늙는 중일 할머니들이,
앉았다 일어나려면 끙 소리를 내야 하는 무거운
몸으로 '무릅쓰는' 일 중에 이처럼 보람 있고 아름답고
정의로운 일이 또 있을까.

　'할머니 되기'를 배우고 살아내며, 나는 노년의
자리가 '갱신'이 요청되고 또 가능한 자리라고 생각하게
되었다. 믿음이나 행동강령뿐 아니라 구체적인
실천들까지 반복인 것처럼 보이지만 매번 새로운
시도이고 반성이고, 갱신이다. 어제 품었던 생각들이나
판단을 오늘 수정하고 그렇게 나를 갱신한다. 아마도
내년의 나는 올해의 나를 갱신하고 있을 것이다.
무릅쓰기에 갱신하는 것이다. 이 무릅쓰고 갱신하는
힘이 인류애로 흘러들어갈 것이다.

내 안의 할머니를 만나기

그러는 동안에도 어떤 젊은이들은 '무사히 할머니
되기'를 두려워하고 있을 것이다. 그들에게 권하고 싶은
일이 있다. 그대 안에서 그대를 기다리고 있는 할머니를
만나보라고 말하고 싶다. 지금 불안과 두려움의 안개
속에서 방향감각이 흐려지고 있다면 그대를 기다리고
있는 할머니의 손을 잡으라고 말하고 싶다. 심리학은
'네 안의 울고 있는 아이'를 만나라고 권한다. 유년기가
누구에게나 언제나 더할 나위 없이 따스하고 순연한
햇살로 빛나는 건 아니기에, 어둡고 축축한 그늘에서
여전히 울면서, 일으켜 세워줄 누군가의 손을 기다리고

있는 아이가 있을지도 모른다. 그 아이를 만나는 일은 자기가 누구인가를 계보학적으로 이해하는 과정에 필수일 것이다. 그런데 내 안에서 나를 기다리고 있는 건 유년기의 아이뿐이 아니다. 노년기의 할머니도 나를 기다리고 있다. 그 할머니가 내게 손을 내밀고 있다. 내게 들려줄 말이 있다. 이 할머니를 만나 그가 들려주는 여러 생애 단계의 나에 관한 이야기를 들어보면 어떨까. 미래에서 날아온 반짝이는 반딧불이가 방향감각을 일깨울 것이다.

아이가 아이였을 때, 어른이 아이의 손을 잡고 횡단보도를 건너, 공원으로 어린이집으로 놀이터로 이끌었다. 아이가 성장하면서 손을 잡고 동행하는 사람이 사라진다. 그러나 성장했다고, 서른, 마흔이 되었다고 해서, 아니 나처럼 예순넷이 되었다고 해서 손잡고 동행할 누군가가 필요 없어지는 건 아니다. 내 안에서 나를 기다리고 있는 할머니의 손을 잡고 나서보자.

함께한 사람들

강현석　　내러티브와 텍토닉에 중점을 두고 있는
SGHS 설계회사의 공동대표다. 일민미술관《그래픽 디자인
2005~2015》(서울, 2016), 국립현대미술관 과천관 30년
특별전《상상의 항해》(서울, 2016),《제16회 베니스 비엔날레
국제건축전》한국관에 작가로 참여하였고, 2019년『TVPR-
투발루 프로젝트』(www.tvpr.tv)를 출판했다. 현재 스위스 건축가
협회(SIA)의 정회원이며, 성균관대학교 건축학과에서 겸임교수로
재직 중이다.

김영옥　　페미니스트로 잘 늙어가기를 연구 주제로, 일로,
활동으로 삼고 있다. '생애문화연구소 옥희살롱'에서 세대 간 호혜적
연대와 성평등하고 정의로운 돌봄 등을 집중적으로 탐색하고 있다.
그동안『새벽 세 시의 몸들에게』를 옥희살롱 연구활동가들과 함께,
『노년은 아름다워』와『흰머리 휘날리며 - 예순 이후 페미니즘』을
단독으로 썼다.

김영주　　강원도 동강에서 한국내셔널트러스트
생태활동가이자 마을에너지공방OO 대표로 화덕, 구들, 생태건축
등 전환기술 활동을 했다. 퍼머컬처 디자이너로 정원텃밭, 농사,
건축 관련 프로젝트에 참여하면서 한국과 일본에서 생태마을,
전환기술, 생태문화예술 등 '넥스트젠 코리아' 활동가로 일했다.
2019년 영광에 작은 집을 지었고 지금은 고창문화도시 일을 하며
문화정책, 문화예술 사업에 한눈을 팔고 있다.

고아침　　　지식과 정보가 누구에 의해서 어떤 방식으로 만들어지고 사용되는지 고민하며, 그 과정을 개선하고자 하는 플랫폼을 만들고 있다. 기술 변화가 더 많은 사람들에게 힘이 되도록 기술의 장벽을 낮추고 비판적인 질문을 던지며 다양한 사람의 리터러시를 추구하는 활동을 한다. 인공지능, 데이터과학, 디지털 문화가 사회적으로 어떻게 작용하는지에 관심을 둔다.

손희정　　　영화를 보고 글을 쓰는 페미니스트. 『페미니즘 리부트』, 『성평등』, 『다시, 쓰는, 세계』, 『당신이 그린 우주를 보았다』 등을 쓰고 『다크룸』 등을 한국어로 옮겼다. 예전에는 영화가 세상을 바꾼다고 믿었는데, 요즘은 자신이 없다. 그저 더 많은 쓰레기를 만들고 세계를 더럽히는 인간의 사치 중 하나는 아닌지 주저하게 되는 순간도 있다. 그래도 결국 다시 영화일 수밖에 없다. 이번에도 이런저런 사랑스러운 영화들이 열어준 다양한 상상력에 기대어 글을 썼다.

송수연　　　제작기술문화에 관심을 가지고 활동하고 있다. 제작과 기술을 다루는 과정이 창의적이고 비판적 접근이자 사회를 매개하는 생각과 실천으로 확장되는 것에 관심을 가지고 연구 및 교육을 실천하고 있다.

안팎　　　안팎과 박종주, 두 개의 이름으로 글을 쓰거나 번역한다. '성적권리와 재생산정의를 위한 센터 셰어(SHARE)',

시각 이미지를 만드는 페미니스트 '프로젝트 노뉴워크(No New Work)'의 동료들 곁에서 주로 퀴어, 재현, 정치 등을 생각하고 있다.

어라우드랩(김보은, 김소은)　　　광고디자인을 했던 김보은과 건축디자인을 했던 김소은이 함께하는 디자인 스튜디오이다. 김보은은 대학원에서 그린디자인을 공부하면서 환경 문제에 더욱 관심을 가지게 되었고, 김소은은 '해방촌마을기록단'으로 활동하며 마을의 기록을 모으고 나누는 활동을 해왔다.
어라우드랩은 환경과 지역, 그리고 디자인의 과정 속에서 우리가 놓치고 있는 부분들이 무엇인지 고민하며, 그런 이야기들을 어떻게 잘 전달할 수 있을까에 대해 실험하고 있다.

예술육아소셜클럽(김다은, 민경영, 박주원, 신승주, 이경희, 임유빈, 정유희)　　　'예술육아소셜클럽'은 예술인이자 부모인 이들이 예술과 육아를 병행할 수 있는 환경을 만들어나가고자 하는 콜렉티브이다. 부모 예술인이 마주하는 돌봄 노동, 경력 단절 등의 이슈를 환대의 연대 안에서 다양한 방식으로 논의한다. 우리는 각자의 개인적이며 구체적인 경험과 이야기 수집을 토대로 예술계 내의 편향된 인식과 제도적 변화의 지점을 살펴 더 나은 방향으로 나아갈 가능성을 모색하고자 한다.

윤상은　　　'무용'이라는 경계 안팎으로 발생되는 흥미로운 지점을 찾아 창작자, 기록가, 교육가로서 다양한 활동을 하고 있는 안무가. 멈춰있는 것, 버려진 것, 죽어있는 것을 바라보는 태도에

대해 고민하며, 최근에는 박제된 여성 이미지를 수집하고
재가동하는 작업을 하고 있다. 주요 안무작으로는 〈죽은
대상을 위한 디베르티스망〉(2015), 〈Stretched Love 늘어난
사랑〉(2018), 〈죽는 장면〉(2020), 〈Ballet for All〉(2021) 등이
있다. 동료 무용가들의 이야기를 담는 블로그 '떵샤의 모던댄스'
운영자다.

이규동　　　　건축을 전공한 후 상업, 주거, 전시장 등의
공간과 가구를 디자인하고 만들었다. 하나의 공사를 진행할 때
얼마나 많은 쓰레기가 발생하는지를 알게 되고, 그것이 폐기물
처리장에 쌓여 거대한 산을 만드는 것을 본 후, 내가 할 수
있는 것을 찾아가고 있다. 현재는 도시를 떠나 제주에서 만난
동물들과 복에 겨워 살고 있다.

채효정　　　　정치학자. 경희대학교 후마니타스칼리지 해직
강사. 《오늘의 교육》 편집위원장. 정치사상과 철학을 기반으로
정치, 교육, 노동, 생태 등 사회문제를 연구하며, 민주주의
위기와 불평등 문제에 대해 꾸준히 목소리를 내왔다. 지배
언어에 맞서 지배당하지 않는 언어와 사유로 세계를 재해석하는
데 관심을 가지고, 대지와 현장에 뿌리내린 연구자가 되고자
노력한다.

최명애　　　　인문지리학자로 인간 너머 지리학과
정치생태학의 접근법을 이용해 야생 동물 및 자연 보전을

연구하고 있다. 고래 관광과 포경, DMZ 두루미, 디지털 기술을 이용한 자연 보전, 생태관광 등을 연구했다. 카이스트 인류세연구센터 연구조교수.

최승준　　미디어아티스트로 활동하며 대학에서 인터랙션 디자인을 가르치다가 현재는 유치원에서 일하고 있다. 어린이들과 〈호기심 쿵쿵〉이란 수업으로 만나고 있고, AI를 활용한 프롬프트 프로그래밍으로 창작 작업을 하고 있다. 인간에게서 배우는 기계의 학습과 기계의 학습에서 성찰하는 인간의 배움에 관심이 많다.

헤더 데이비스　작가, 연구자, 교수이다. 페미니스트와 퀴어 이론을 통해, 정착민 식민주의의 맥락에서 생태학, 물질성, 현대 예술을 연구한다.

만든 사람들

공동기획

강민형   큐레이터, 통번역가, 광주광역시에 위치한 공간 '바림'의 디렉터(2014~) 등 시각예술의 다양한 위치에서 활동 중이다. 탈중심적 예술 실천에 관심을 가지고 있으며, 특히 지역에서 활동하고 거주하고 있으면서도 해당 지역성에 얽매이지 않는 예술 활동을 실천할 수 있는가에 대해 지속적으로 연구한다. 이 초지역성과 자율성을 디지털 기술의 문맥에서 읽고 디지털 기술을 다루는 예술의 다른 형태를 고민하는 《DEGITAL》 플랫폼(2019~)을 만들고 운영한다.

김화용   고정관념과 이데올로기가 만들어낸 정체성에 질문을 던지며 이를 둘러싼 경계, 젠더, 비체, 인간-비인간 대한 고민을 여행, 만남, 연대, 워크숍, 퍼포먼스 등의 방법으로 작업해온 미술작가이자 기획자이다. '문화 생산자를 위한 공간 : 가옥'의 워크숍 프로그램을 기획하며 예술 경계 안팎에서 여러 협업의 가능성을 실험했고, 사회와 예술의 관계 및 공존을 고민하는 '옥인 콜렉티브' 멤버로 활동했다. 최근에는 예술의 신화 뒤에 가려져 있는 비인간 동물과 자원의 착취에 대한 연구 그리고 인간 중심적 세계가 만든 재난과 폐허에서 발견하는 비인간 생명종의 가능성에 대한 관심을 기반으로 작업하고 있다.

전유진   영화음악으로 창작활동을 시작했다. 2011년부터 사운드, 퍼포먼스, 기술을 기반으로 한 뉴미디어 작업을 발표하면서 활동 범위를 넓혀왔다. 2015년 아티스트 그룹 '서울익스프레스'를

결성하여《언랭귀지드 서울》,《인더스트리얼 퍼포먼스》등 실험적인 서사 구축에 주목하는 다원예술 공연을 만들었다. 활동 초기부터 기술과 예술이 결합된 워크숍과 교육 프로그램 개발에 지속적인 관심을 쏟아왔으며, 2017년 '여성을 위한 열린 기술랩'을 설립하여 기술문화의 다양성을 높이기 위한 시도들을 이어가고 있다.

디자인

어라우드랩　　우리 사회가 직면한 이야기들을 어떻게 잘 전달할 수 있을까를 실험하는 디자인 스튜디오이다. 디자이너의 환경적 책임에 통감하며 디자인 제작물들이 어떻게 만들어지고 버려지는지에 대해 더 나은 방향을 고민하고 있다. 최근에는 이러한 생각들을 더 많은 사람들과 함께 할 수 있도록 〈종이 한 장 차이〉, 〈소재 선별장〉 프로젝트 등을 진행하였으며, 《제로의 예술》 디자이너로 참여하였다.

편집

김영글　　쓰고 만드는 사람. 텍스트를 중심으로 영상, 출판, 사진, 설치 등 다양한 매체를 엮어 활동한다. 축적된 역사적·사적 자료의 '다시 읽기'와 '다시 쓰기'를 시도하는 작업을 주로 진행해왔다. 2019년부터 1인 출판사 돛과닻을 운영하며 예술과 출판의 접점을 탐색하고 있다.

책을 만드는 과정에 도움을 주신 박종주, 박태인, 이목화, 이지영, 최윤정 님께도 감사의 인사를 전합니다.

도판 출처

p34-35
  ©최승준, 돛과닻

p39
  ©김소은, 돛과닻

p56-57
  ©wikimedia commons

p72
  ©윤상은(사진: 이은정)

p75
  ©제로의 예술(사진: 홍보의)

p88
  ©Twentieth Century Fox

p98
  ©wikimedia commons

p11△
  ©MAXXI Museo nazionale
  delle arti del XXI secolo, Roma.
  Collezione MAXXI Architettura.
  Fondo Superstudio

p113
  ©Andrea Branzi / ADAGP, Paris
  – SACK, Seoul, 2022 ©Centre
  Pompidou, MNAM-CCI, Dist.
  RMN-Grand Palais / Jean-Claude
  Planchet – GNC media, Seoul,
  2022

p117
  ©The Museum of Modern Art,
  New York/Scala, Florence, 2022

p124
  ©MAXXI Museo nazionale
  delle arti del XXI secolo, Roma.
  Collezione MAXXI Architettura.
  Fondo Superstudio

p133, 134-135, 138, 14◉,
145, 147, 148, 149, 151
  ©김영주

p17♣-172
  ©이규동, 제로의 예술

p175
  ©제로의 예술(사진: 강민형)

p198
  ©wikimedia commons

p217-218
  ©언메이크랩

p224
  ©Anders A. Hagen / WENN.com

p227
  ©Lisa Woollett

p245
  ©wikimedia commons

《제로의 예술》은 2020년 한국문화예술위원회 공공예술사업 선정 프로젝트로, 예술의 견고한 프레임을 돌아보고 다양한 목소리가 함께 이야기하는 공공의 장을 만들기 위한 기획이었다. 제로나 장르를 넘나드는 창작자/시민/활동가 등의 움직임을 포착하고, 그 태도를 배우면서 이미 있는 공공예술의 재배치를 상상하고자 했다. 2020년 10월부터 2021년 8월까지 11개월에 걸쳐 다음의 프로그램을 진행했다.

모든 몸을 위한 발레	윤상은	2020. 10 - 12	광주/서울
중년·노년 여성들과 함께하는 감각을 일깨우는 움직임 워크숍			
자기기록: 듣기와 쓰기	김지연	2020. 11 - 12	광주/서울
중년·노년 여성들과 함께하는 일상을 기록하는 사운드 워크숍			
예술육아소셜클럽	김다은, 이정희	2020. 10 -2021. 3	서울
육아로 인한 작업의 머뭇거림에 북돋음과 용기를 제안하는 워크숍			
퀴어-도잉	전국퀴어모여라	2020. 11 - 12	광주
지역 퀴어들의 삶을 어떻게 기록할 것인지 생각해 보는 워크숍			
심시티	강주원, 강현석	2021. 2 - 3	온라인
기후변화와 지속가능성에 관한 건축 시나리오 워크숍			

0makes0.com

공동기획자. 강민형, 김화용, 전유진